Les *Oiseaux* *de* Saint-John Perse

Les Éditions de la Pleine Lune
C.P. 28
Lachine (Québec)
H8S 4A5

Illustration de la couverture
Denis St-Pierre, *Où sont-ils?*, pointe-sèche, 1994.

Photo de l'auteure
Josée Lambert

Maquette de la couverture
Guy Lafrenière

Infographie et montage
Lafrenière Design

Distribution:
Diffusion Prologue
1650, boul. Lionel-Bertrand
Boisbriand (Québec)
J7E 4H4
Téléphone: (514) 434-0306
Télécopieur: (514) 434-2627

Nicole Houde

Les *O*iseaux
de Saint-John Perse

ROMAN

la pleine lune

ISBN 2-89024-088-6
© Les Éditions de la Pleine Lune
Dépôt légal – Troisième trimestre
Bibliothèque nationale du Québec
Bibliothèque du Canada

À Frédéric, Janis et Mélanie

Nous ne savons pas très bien qui nous sommes dans cette organisation dont le secret nous échappe. L'oiseau, lui, est incarnation sonore de l'espace; sa musique est elle-même espace, elle en traduit sur-le-champ toute la complexité.

Pierre Morency

L'oiseau, de tous nos consanguins le plus ardent à vivre, mène aux confins du jour un singulier destin.

Saint-John Perse

CHAPITRE 1

La porte de cet appartement de la rue Laurier allait s'ouvrir; à compter de ce moment, je veillerais sur deux êtres dont je ne connaissais que le nom, l'âge, et cette fragilité de la mémoire de l'un d'eux. J'étais préoccupée. Je cognai. Un vieillard vêtu d'un pyjama bleu m'accueillit. Un sourire contraint découvrait ses gencives nues. Je me tins devant lui, pétrifiée par cette rumeur en moi qui persistait à dire «Qui sont-ils?». Le vieillard se tourna vers une forme allongée sur un divan-lit, il cria:

– Estelle, c'est la femme du CLSC!

Elle n'a pas répondu. Le vieillard a de nouveau crié.

– Je sus fatigué. J'vas me coucher.

Estelle Bilodeau et moi étions maintenant seules dans un espace rectangulaire meublé d'une table, de trois chaises, d'un divan-lit ouvert, d'une commode, d'un téléviseur et d'un fauteuil, ce qui permettait de croire à un salon, à une chambre ou à une salle à dîner. À gauche, près de la salle de bains, un comptoir donnait sur une cuisinette. D'Estelle Bilodeau, j'apercevais les cheveux blancs sur des oreillers empilés, les mains crispées autour de couvertures rabattues sur ses yeux. Elle se taisait et se cachait. J'ai osé poser ma main sur son épaule, tout geste ici devait ébranler la coutume d'un silence

profond dont étaient aussi captifs les objets. Une fleur arti-
ficielle était fichée dans la terre craquelée d'un pot de violettes africaines séchées. Une perruque recouvrait l'armature
d'une lampe de chevet. Sous ma paume, j'ai ressenti l'effroi
de la vieille dame. Elle a sursauté, m'a examinée un instant,
avec de la haine et de la souffrance dans les yeux. Détour-
nant la tête, elle a ensuite fixé le mur.

J'éprouvais le besoin de parler et de bouger pour écar-
ter cette impression d'étrangeté venue du lieu et des vieillards.
J'ai murmuré: «Madame Bilodeau, je suis une auxiliaire familiale envoyée par le CLSC.»

Elle est demeurée muette. J'ai lavé la vaisselle. J'ai
nettoyé le comptoir séparant la cuisinette du salon hypo-
thétique, encombré de patates, de boîtes de conserves, de
pelures de carottes et de morceaux de gâteau. J'y ai même
trouvé une paire de lunettes et un foulard trempant dans la
sauce renversée d'un ragoût. Souvent les choses ne sont pas
claires, mais elles s'embrouillent plus encore en présence
d'un homme et d'une femme presque arrivés à la fin de leur
vie. J'y songeais en sentant le regard de la vieille dame rivé
sur moi. J'ai balayé. Des robes traînaient sur le plancher,
entre la commode et le divan-lit. Je ne les ai pas ramas-
sées; une sorte de nécessité flottait partout, une pesante
inertie, comme si en conservant aux objets leur place habituelle, on pouvait empêcher la mort de prendre le dessus. J'ai dû m'accroupir pour balayer sous le divan. La
vieille dame me souriait, assise, les jambes croisées, les
couvertures rejetées près d'elle.

– Je m'appelle Estelle.
– Moi, c'est Josée.
– Assoyez-vous près de moi.
À Montebello, elle avait travaillé dans un hôtel où elle

avait rencontré des gens célèbres. Une lueur moqueuse dans les yeux, elle assurait:

– Moi, je suis venue au monde fatiguée. Je déteste balayer.

Elle s'inquiétait à propos de Maurice, voulait savoir s'il était vivant. J'ai entrouvert la porte de la chambre. Il ronflait.

– J'ai peur qu'il meure. Le monde s'imagine qu'il est mauvais mais c'est un homme bon; il m'a acheté une perruque quand j'ai perdu mes cheveux.

Estelle n'avait plus de famille, à part sa sœur Alma. Et le fait qu'elle bavardât autant, cette allusion à une madame Thivierge à qui elle téléphonerait demain, cette évocation des hommes distingués qui l'avaient courtisée dans le temps, m'incitait à la supposer dans une autre famille créée par chacune de ses paroles. La nuit prochaine la tracassait. Elle serait condamnée à se lever, à chatouiller les orteils de Maurice, à vérifier s'il était vivant. Elle préparerait deux bols de céréales, elle y ajouterait des biscuits Breton émiettés et du jus d'orange. Ils déjeunaient plusieurs fois, la nuit. Dans l'édifice, certains locataires la faisaient passer pour folle.

J'écoutais son discours, parfois en l'approuvant, parfois en pensant à mon chat, le colonel Aureliano Buendia, qu'un ami avait amené chez le vétérinaire. Le colonel ne miaulerait plus jamais. La vieille dame me serrait la main en devisant sur l'intrigue de l'émission «Dynastie». Plus tard, Maurice l'a rejointe; il a applaudi avec elle devant les exploits d'un chien vagabond. J'étais émue par ce sourire d'enfant sur leurs lèvres.

Durant le souper, ils ont mangé très lentement. Il leur arrivait de se piquer la joue ou le menton avec leur fourchette. Le vieil homme m'a demandé un peu de café. La vieille dame m'a demandé un papier-mouchoir. Ils ne souriaient plus comme des enfants, ils souriaient désespérément en inventant des prétextes qui m'éloigneraient de la table et qui les soustrairaient à mon regard. La vieille dame a prétendu qu'elle grelottait et a demandé son manteau. J'ai cru frôler la mort en touchant ses épaules. Le vieil homme s'est alors écrié: «Il manque une cuillère! Vous avez volé ma cuillère!»

Il s'est précipité vers le tiroir des ustensiles, en a vidé le contenu sur le comptoir. Il s'est approché de moi en répétant: «Vous avez volé ma cuillère!» Il brandissait une fourchette devant mon visage. Sa main et la fourchette tremblaient, son bras droit oscillait, ses épaules tressautaient. Parce qu'il portait un pyjama bleu délavé, translucide par endroits, j'ai vu la peau de sa poitrine se débattre et les côtes se soulever sur son thorax. Le vieil homme était si décharné qu'il me semblait que ce cou, ces jambes, ces bras et ce thorax ne tenaient à lui que par la force de l'habitude, qu'ils risquaient d'oublier l'ensemble des liens avec le corps familier. L'univers était devenu une simple cuillère pour Maurice Tremblay qui s'accrochait à son nom ainsi qu'à une bouée de sauvetage. Sa femme, la nuque penchée, s'obstinait à remuer avec le bout de sa fourchette les épinards et les patates pilées dans son assiette. Quatre flacons de comprimés entouraient la tasse du vieillard. Il a avalé quatre pilules en buvant du café. Il paraissait maintenant enchanté et m'interrogeait sur les affres de la guerre. J'hésitais; il s'est tourné vers sa femme.

– Ça va bien, Estelle?

J'ai dû lire un article de journal sur le zona, qu'il avait découpé de manière à expliquer sa maladie au monde. Je ne savais plus où j'en étais. Estelle murmurait que sa mère avait été une vraie martyre, que son cœur ne battait que pour lui, que ça faisait très longtemps que son bien-aimé était parti sans l'avertir. La voix de Maurice courait sur d'autres chemins: un agriculteur, quelque part, cultivait des présences, le chauffeur de taxi allait lui téléphoner, c'était toujours la même chose, le diable lui voulait du mal, il allait se reposer dans sa chambre.

Estelle a soupiré:

– Il crie, ce n'est pas de sa faute, il est sourd.

En se rendant au divan-lit, à quelques pas de la table, elle a failli tomber. Elle a saisi mon avant-bras, a frissonné et m'a montré le fauteuil sur lequel des monstres viennent s'asseoir, à l'occasion. Dehors, c'était encore plus terrible; elle n'aimait pas ces fenêtres trop grandes en face d'elle, d'où l'on distinguait trop bien le ciel orageux.

– Est-ce qu'il va tonner, cette nuit? Est-ce qu'il y aura des éclairs?

Presque entièrement dissimulée par les draps et les couvertures, Estelle cherchait peut-être un refuge dans ces phrases qu'elle a prononcées sans se départir de son sourire. À seize ans, elle avait travaillé dans un hôtel où l'on disait qu'elle était belle. Sa jaquette empestait la sueur et l'absence de Dieu. Estelle se reprenait, ajoutait que c'était faux, Dieu était passé beaucoup trop souvent dans sa vie; il avait tué sa mère, ses frères et ses sœurs, sauf la plus jeune, Alma. Elle commentait des événements ayant eu lieu à Bonaventure et à Montebello, ces villes encloses dans des secondes dont l'enveloppe fragile pouvait céder n'importe quand sous le poids d'un fauteuil et d'un ciel menaçant.

Avant de la quitter, je l'ai embrassée sur la joue. Ses mains agrippées aux miennes refusaient que je m'en aille tandis qu'elle me pressait de questions.

– Connaissez-vous le mot «civelle»?

– Non.

– Une civelle, c'est une jeune anguille. Connaissez-vous le mot «hallier»?

– Non, madame Bilodeau.

– C'est un groupe de buissons touffus. Et le mot «méléagrine», ça ne fait pas partie de vos fréquentations? Il s'agit d'huîtres perlières. Moi, je suis une habituée du dictionnaire.

Elle faisait des mots croisés dans le temps. Il fallait la croire; elle avait conservé les revues, des centaines. Il fallait surtout ne pas lâcher ses mains en ce temps-ci où les dorades, les monades et les annélidés affluaient sur ses lèvres afin de me retenir, par un soir du 16 avril 1990. Puis madame Bilodeau s'est résolue à mon départ et m'a saluée: «Adieu».

– Nous allons nous revoir demain.

Mais elle a redit «Adieu».

* * *

À mon arrivée, à une heure, Estelle portait une perruque et s'employait à séduire le cours des années pour en dévier la trajectoire. Fardée, les lèvres rougies, elle était figée dans une attitude théâtrale, une main sur ses faux cheveux, l'autre sur ses cuisses. Les hurlements du vieil homme venu ouvrir la porte ne l'atteignaient pas. En me prenant le bras, il ne tarissait pas de reproches à l'endroit du diable qui l'accablait de terribles douleurs. Quand il s'est enfermé dans sa chambre, Estelle a chuchoté: «Madame Grace Kelly n'élevait jamais la voix.»

Elle avait pénétré dans l'intimité du prince Rainier et de son épouse, lors de leur séjour au *Seignory Club*; les règles du service de table à la française n'avaient pas de secrets pour elle. La princesse était un prodige vivant de délicatesse et de dignité. Sans transition, Estelle s'est retrouvée au mois de juillet pendant que Maurice ordonnait aux membres du trio de musiciens qu'il dirigeait de jouer le «Minuit, chrétiens». Dans la salle à dîner du *Seignory Club*, les clients avaient applaudi.

Elle avait tant à raconter qu'elle s'agitait, négligeait sa posture théâtrale. Le destin avait adopté l'allure d'une cousine et l'avait conduite, à trente-cinq ans, au *Seignory Club* où elle avait d'abord été serveuse aux tables. Le gérant s'était vite rendu compte de sa promptitude et de la qualité de ses manières; dès 1946, elle avait été promue hôtesse. Son mariage avec Maurice remontait à 1970. Elle balbutia qu'elle avait autrefois perdu ses cheveux. La perruque qu'elle avait choisie ce matin ne lui convenait pas; elle voulait absolument la plus élégante de ses perruques. Les monstres s'étaient assis sur le fauteuil, la dernière fois qu'elle l'avait égarée.

Des six tablettes superposées dans le haut de la garde-robe où je cherchais, plusieurs flacons de parfum et des fleurs séchées ont dégringolé.

– Elle est dans une boîte ronde sur la tablette de gauche.

J'ai déposé trois boîtes sur le divan-lit. Estelle respirait difficilement. Ce n'était pas la bonne perruque, elle avait encore perdu quelque chose, Alma et Maurice allaient encore la disputer, elle n'était pourtant pas une enfant, pas une folle non plus. Elle a enlevé sa paire de lunettes. «Est-ce qu'il y a toujours des sénateurs aux États-Unis? Est-ce lundi, aujourd'hui?» Le ton suppliant de sa voix ne s'accordait pas avec le caractère anodin de ses questions. Après qu'elle ait cérémonieusement déclaré qu'il faisait nuit, je lui ai remis sa paire de lunettes. Elle s'est tue et s'est rapidement assoupie.

Estelle et Maurice, à l'heure du souper, manipulaient maladroitement leurs ustensiles, renversaient du bouillon de poulet sur leurs vêtements et m'observaient furtivement. À quelques reprises, ils m'ont demandé un verre d'eau, du café. Je ne les entretenais de mon chat que pour les aider à m'oublier. Aureliano Buendia, cet avant-midi, avait bondi sur le dessus du réfrigérateur, il avait cassé un pot de fleurs. Je chantonnais en donnant un verre d'eau à Estelle. Il s'agissait de minutes particulièrement dangereuses qu'Estelle emplissait d'adieux et que Maurice consacrait fébrilement à la température.

Plus tard, Maurice a noté les cotes de la Bourse et a fermé le téléviseur, criant que la guerre n'était pas finie et qu'Estelle allait mourir bientôt, avant le traité de paix. Il s'attendait à la trouver dans un avenir prochain, violette et toute raide sur le divan-lit. La pauvre avait abusé de ses forces; sa mémoire la lâchait, elle risquait de laisser sa peau à la nuit qui s'en venait. Lui, il ferait le nécessaire, achèterait une belle tombe, et aussitôt après l'enterrement, il réaliserait son rêve, écrire sa *biographie*, puisque c'est là le sort des musiciens célèbres. Les joues de Maurice rosissaient. Il assurait qu'Estelle avait été une honnête et fidèle épouse. Et, caressant ses cheveux blancs, il jurait qu'il avait connu le bonheur avec elle. Estelle souriait. En s'emparant du tue-mouches, elle a murmuré: «Salut, la mouche.» Maurice, sans comprendre, s'est dirigé vers sa chambre.

– Vous savez, ce n'est pas un homme mauvais. Les apparences se liguent contre lui.

Elle m'a invitée à m'asseoir sur le rebord du divan-lit. Elle avait patiné dans le temps avec Alberto, un être extrêmement distingué qui ressemblait à Rudolf Valentino. Alberto filait comme un oiseau sur la glace. Ils s'étaient bâti un amour avec de la neige et des printemps fugitifs. Dans ses bras elle devenait une reine, elle devenait l'expression même de la légèreté quand il la faisait tournoyer sur la glace. Haletants, ils s'arrêtaient et s'appuyaient aux palissades encerclant la patinoire. Les gens les applaudissaient.

La vieille dame a hoché la tête. Le plus beau des hommes de Bonaventure l'avait aimée, elle, une serveuse d'hôtel. Ils devaient se marier le 28 mai 1928. Ils allaient souvent marcher en bordure de la Baie des Chaleurs. Alberto disait en 1928 qu'il y avait des merveilles entêtées dans les branches des arbres, qu'il y avait sur son visage le reflet de centaines d'étoiles. Un jour, il irait cueillir expressément pour elle, dans les eaux de la baie, des méléagrines. Elle buvait chaque mot d'Alberto; il voyageait beaucoup, il apprenait le monde dans un dictionnaire.

Puis la vieille dame a examiné le ciel.

– Est-ce qu'il va tonner, cette nuit?

Elle a pressé contre sa poitrine la photographie de Krystel, l'héroïne de «Dynastie», et a poursuivi. Elle se fabrique des aurores durant la nuit en réveillant Maurice et en déjeunant avec lui jusqu'à ce que le téléviseur la dénonce. Elle demeure alors seule avec Dieu dont l'ombre démesurée flotte dans le salon; elle s'étend et ferme les yeux afin de ne pas le voir. Une quinte de toux l'a interrompue. Elle a touché mon épaule.

– Est-ce que Dieu s'est déjà installé dans le fauteuil?

– Non, madame Bilodeau.

– Et les monstres?

– Non plus.

Prise au dépourvu, je secouais la tête.

– Êtes-vous bien certaine? Ils sont à la veille de se manifester. Voulez-vous coucher ici? Si vous vous en allez, qu'est-ce qui va advenir de moi?

Elle m'a soufflé à l'oreille que les ténèbres ne servaient qu'à dissimuler Dieu et ses fils monstrueux. Qu'Alberto n'aurait pas dû se battre contre Dieu.

Estelle s'est mise à arpenter le salon; elle ne distinguait pas ce verre d'eau qu'elle avait réclamé. Elle m'a regardée: «Qui êtes-vous?» Et saisissant mon bras, elle m'a demandé:

– Comment je vas faire pour retrouver mon chemin jusqu'à la maison?

Près de la porte-fenêtre, qu'elle désigne par l'expression «grandes fenêtres», elle se croyait dans une rue, épiée par un assassin. Elle apercevait également des passants dont le poignet était orné d'un bracelet sur lequel une infirmière avait indiqué leur adresse. Ceux-ci refusaient de lui révéler sa propre adresse. Pourtant elle n'avait pas cessé d'exposer en détail le menu aux clients de l'*Hôtel King*, elle n'avait pas cessé de donner la bonne réponse aux célébrités du *Seignory Club*, elle avait été prévenante à leur égard, tout ça pour entendre une voix lui rappelant que c'était l'heure de mourir. En plus, le ciel n'était pas poli; il tonnait, il éclairait et elle avait oublié son parapluie. Dieu la menaçait d'expulsion.

Estelle courait maintenant dans le salon. J'essayais de m'approcher d'elle qui pensait, qui certifiait à Alberto que j'étais Dieu, son pire ennemi. Parvenue au comptoir de la cuisinette, elle m'a lancé des patates et des carottes. Elle a fait couler l'eau du robinet. Souriante, elle a jeté plusieurs verres d'eau à la face de Dieu. J'étais complètement mouillée. Estelle a proclamé son triomphe un instant, juste un instant, car, selon les apparences de son discours, les fils monstrueux de Dieu lui apparaissaient, clamaient qu'Alberto n'était plus. Elle hurlait qu'Alberto cherchait deux mots dans le dictionnaire, «éphéméride» et «labyrinthodon».

J'ai repris ces mots dix fois, peut-être davantage. On ne sait plus compter lorsque, devant soi, s'agite le désespoir en personne. Estelle les répétait. Je l'ai guidée dans le salon où il y avait une table et des chaises sur lesquelles je l'aidais à déplacer ses doigts. Une lueur a enfin traversé ses yeux quand nous sommes entrées dans la chambre de Maurice; elle se souvenait qu'ici, c'était aussi sa chambre avant que Maurice ne vende l'immense lit. Maurice avait décidé de dormir en exclusivité; sa maladie, le zona, n'admettait que lui sur le demi-lit neuf.

Estelle articulait fièrement chaque syllabe de ce prodige, «l'exclusivité». Elle était redevenue elle-même, allongée sur le divan-lit; j'ai appliqué du rouge sur ses lèvres, du fard sur ses joues. Elle allait se présenter en beauté à la nuit, en dépit de ses craintes. Je ne devais pas m'inquiéter. Ses amis, Grace Kelly, Frank Sinatra, Gary Cooper et Cary Grant, viendraient à son secours, en cas d'urgence. Avant que je m'en aille, elle a murmuré «Adieu» et m'a conseillé d'être prudente; avec cette guerre qui ravageait Montréal, il valait mieux rester chez soi.

* * *

Melquiades, je t'ai entrevu sur le visage d'Estelle et sur celui de Maurice pendant le souper. Tu étais humilié d'être tombé et de devoir te cramponner aux barreaux d'une chaise pour te relever. Ce geste appartenait au passé. Ta mort a projeté une grande part d'ombre sur ma vie, elle a fait de moi une inconnue qui s'interdit le présent. Cette détresse des deux vieillards m'a contrainte à te reconnaître, à me reconnaître, violemment propulsée dans l'instant dont ils souhaitent ardemment la victoire, cet instant, l'unique gage de leur avenir.

Estelle a quatre-vingt-deux ans, et Maurice, quatre-ving-onze ans. Ces deux derniers jours, j'ai appris d'eux la valeur incalculable des cuillères, d'un fauteuil, de certains mots et de l'instant. Il me semble que j'ai leur âge en ce moment; je palpe la surface d'une table et de ces feuilles afin de m'expliquer avec le présent.

Melquiades, j'avais seize ans lorsque dans un kiosque à journaux de l'aéroport de Bagotville, tu as acheté ce roman de Gabriel Garcia Marquez, *Cent ans de solitude*. Un avion allait t'emporter vers Sept-Îles. Puis deux semaines se sont écoulées entre ton départ et l'arrivée de cette lettre adressée à Maude, ma mère. Tu allais bien; tu avais terminé la lecture de ton livre; tu faisais la cuisine dans un chantier de Clark City. Quelques jours plus tard, Maude accueillait le curé et mon grand-père dans le salon. Ils ont dit que tu étais mort durant la nuit à l'hôpital de Sept-Îles. Mort confus, mort de boisson à quarante-cinq ans.

Depuis, mon père, je t'appelle Melquiades. Depuis, je vis sans moi. Le matin du 8 juillet 1965, il aurait fallu accepter que dans une chambre d'hôpital, tu te sois vu seul, perdu dans une souffrance qui t'arrachait des cris de bête. Il aurait fallu, ce matin-là, que tu te mettes à hurler en moi, que tu vomisses, que tu t'étouffes, que tu éprouves la fin de tout en moi. Il aurait fallu que j'accepte ça, que tu te tiennes violet d'humiliation devant toi-même en moi-même, que tu mesures l'immensité de l'échec, il aurait encore fallu qu'en moi-même, l'espace soit complètement occupé par ce désespoir d'homme seul, d'homme fier réduit à presque rien.

Ton visage était de la plus grande importance dans ma vie. Comment un ici, des bras, des jambes, des ciels et des soleils auraient-ils trouvé raison d'exister en ton absence?

J'irai ouvrir la porte de la chambre de cet hôpital à Sept-Îles, en employant les paroles de deux vieillards. J'irai dans ton corps en charpie. Le monde, actuellement, se résume à ces deux vieillards.

CHAPITRE 2

Le vieillard range ma veste et m'annonce que son ami Euclide, le chauffeur de taxi, lui a apporté un livre sur les vitamines. Il va bientôt commander des vitamines à la pharmacie; Estelle va reprendre ses esprits grâce à la Lécithine. L'index pointé vers la vieille femme endormie, Maurice crie:

– Je veux pas mourir, c'est à cause d'elle. J'peux pas la laisser seule, c'est un être sans défense.

Il protégeait déjà Estelle au *Seignory Club*. Elle avait failli être congédiée après le départ d'un sénateur parce qu'elle s'était mise à boire. Des bruits avaient circulé à propos de ce sénateur qui aurait abusé d'elle. Lui, il s'était porté garant de la conduite d'Estelle auprès du gérant de l'hôtel.

– Est-ce que vous aimez Chopin?

– Oui.

– Et Bach?

– Énormément.

– La musique, c'est toute ma vie. J'étais pianiste, vous êtes au courant? Si j'avais consenti, je serais devenu célèbre. Mais c'était pas la volonté de Dieu ni la mienne. Quand vous me connaîtrez mieux, vous comprendrez ça, je suis en relation d'affaires avec Dieu. J'obéis à ses commandements et, lui, il fait de son mieux pour me remettre mon dû. Y a ben des places où j'aurais pas pu pénétrer sans son accord: le Collège Brébeuf, le Conservatoire de musique. Je suis certain que c'est par un effet de sa bonté qu'avant-hier, à la télévision, un annonceur a fait un grand discours sur les vitamines. La travailleuse sociale du CLSC est venue vendredi passé; elle m'a parlé de l'honneur qu'on veut nous faire: on veut nous ouvrir les portes d'un manoir de l'âge d'or. Mais j'ai l'impression que Dieu est pas d'accord et qu'il a placé les mots dans la bouche de l'annonceur pour que je sois mieux renseigné. Je contredis pas la travailleuse sociale; l'autonomie, ça peut défaillir. Elle dit que mon autonomie et celle d'Estelle sont limitées. J'ai téléphoné au pharmacien; il est sûr que les vitamines vont me renforcir pis qu'Estelle sera bonne pour se retrouver, en toute occasion. J'vas aller me coucher, la douleur a l'dessus sur moi.

Chaque visage recèle une énigme. C'est ce lieu d'où les autres nous parviennent, affirmés par notre regard, un lieu étrange où nous prenons la parole pour nous adresser aux autres, et où le pressentiment d'un «nous», dès l'abord, incite le corps entier à se supposer plus grand, plus universel que prévu. C'est aussi parfois une demande insolite, un visage où les yeux se plissent, exprimant une immense ferveur.

– Voulez-vous dire le chapelet avec moi?

– J'ai du travail.

– Alors, je vas prier tout seul pour Estelle.

Celle-ci éclate de rire; elle a fait semblant de dormir jusqu'à ce que Maurice ait refermé la porte de sa chambre.

– Vous l'avez entendu: il veut bien faire, ce n'est pas un homme mauvais. Le mot «épervin», l'avez-vous déjà rencontré dans le dictionnaire?

– Non.

– Cherchez-le. Vous m'avertirez quand vous l'aurez trouvé.

24

Estelle déclare d'un trait «tumeur osseuse du jarret d'un cheval». Puis elle cite la définition des mots «ichor» et «coda». Elle ne se souvient jamais si c'est le jour ou la nuit; pourtant les mots les moins fréquentés, appris il y a longtemps, s'avèrent être moins rétifs que ce lundi 23 avril; aujourd'hui la menace davantage que les mots inusités et redits avec la satisfaction de m'étonner. La tête appuyée sur deux oreillers, elle fixe maintenant le fauteuil. Happe mon bras gauche et murmure: «Je voyais ma mère mourir à chaque pas.» L'idée de sa mère la fait quelquefois frissonner.

– Pouvez-vous me donner mon manteau bleu marine? Il doit être dans la salle de bains.

Cinq robes et deux manteaux sont suspendus à une barre métallique servant en principe de glissoire à un rideau de douche inexistant. Le croisement de plusieurs pièces en une seule fait de chacune une variété hybride où se repérer crée problème.

Maurice s'avance vers moi, les épaules et le buste inclinés vers l'avant. Il flotte dans ce pyjama bleu beaucoup trop grand pour lui, qu'il échange tous les trois jours contre un pyjama mauve.

– J'ai prié pour vous. Dieu m'a promis de vous amener dans son paradis. J'y ai dit de pas se dépêcher, d'attendre que mon autonomie se soit replacée; pourriez-vous vider mon urinal?

– Avez-vous vu le manteau bleu marine de madame Bilodeau?

Les joues de Maurice se couvrent subitement de plaques rouges. Persuadé d'être la prochaine victime de l'angine, une maladie de famille, il s'agrippe aux barreaux d'une chaise. Estelle redemande le manteau bleu marine, celui de Frank Sinatra. Maurice me supplie de m'agenouiller et de réciter le rosaire afin que le diable s'en aille semer ses doutes un peu plus loin. Je pense que nous sommes peut-être tous les trois des variétés hybrides issues de deux revenantes, la peur et l'enfance, tandis que Maurice, à genoux, crie «Je vous salue, Marie» et qu'Estelle chuchote: «Moi, il me dit même pas bonjour, le matin. Il préfère parler avec des statuettes.» Elle se met à rire.

— Voyons, Maurice, la Vierge réussit rien qu'une chose ici; elle revire la maison de bord la nuit.

Maurice me recommande de lui frotter le dos avec de l'Antiphlogistine. Je lui obéis; il maugrée: «Bientôt, ça va être mon anniversaire. Qui pourrait avoir de l'intérêt pour un vieux comme moi? Sûrement pas ma sœur Georgette! Ça fait une éternité que quelqu'un m'a offert un cadeau.»

Six chaises peintes en noir, disposées en demi-cercle autour du lit de Maurice, quatre gravures pieuses sur les murs, une statuette de la Vierge sur la table de chevet, près d'un appareil radio, résument les désirs de Maurice. Celui-ci désigne une valise devant la garde-robe.

— Ça, c'est pour le grand voyage.

Il ferme les yeux; il va écouter la musique classique de Radio-Canada en continuant ses prières.

L'espace ne cesse de me réserver des surprises: en remettant l'urinal dans la garde-robe, j'y découvre le manteau d'Estelle. Lorsque je le dépose sur ses épaules, elle sourit.

— Est-ce que vous avez connu Frank Sinatra? Ah! vous savez, moi, j'ai pu m'asseoir à côté de lui, il m'a même serré la main. Il était venu se reposer au *Seignory Club*. Incognito préservé par le gérant et moi; il prenait ses repas dans la suite qu'il avait louée. Ça se passait en 1958, j'avais cinquante ans. Le gérant avait de la considération pour moi et m'avait affectée au service de monsieur Sinatra. Il a chanté seulement pour moi «Amazing Grace». À cinquante ans, vous savez, je n'étais pas dépourvue de charme. Avant de partir, il m'a donné ce manteau.

Hier ou autrefois, c'est presque pareil à quatre-vingt-deux ans. Estelle, en frôlant le tissu du manteau, me confie qu'elle a été une femme honorable et distinguée, ce qui lui a valu de nombreux regards admiratifs et des invitations qu'elle devait refuser au nom de sa réputation. Elle ajoute:

– Y a-t-il quelqu'un qui vous aime?

Puis:

– Faites attention, ne cassez pas la tasse.

Puis encore:

– Avec moi, c'est toujours comme ça, les jambes, c'est le premier étage de la peur.

Elle essaie vainement de conserver des manières raffinées. Une peur abominable, angoissante et invraisemblable monte dans ses jambes. Elle m'explique que dans le temps Alberto lui avait enseigné comment décourager la peur; il s'agissait de choisir des adjectifs convenables, ceux qui s'ajustent le plus aux proportions de cette impolie saisissant le corps et l'esprit. Ça faisait moins de bruit, appeler ainsi au secours dans le dictionnaire.

Estelle redresse la tête, se tait. Sa frayeur adopte une allure qu'elle jugerait déplacée si elle se voyait. Elle ne se voit plus malgré qu'elle s'examine dans le miroir de la salle de bains. Je m'en tiens au rôle de témoin pendant qu'Estelle nettoie ses joues, son front et son menton avec une brosse à dents. Retournée vers ses seize ans, elle veut absolument faire bonne impression devant madame Thivierge, la patronne de l'*Hôtel King*. Et elle se coiffe avec une fourchette, cela dépend du caractère hybride de la pièce où il y a parfois des ustensiles, et elle me demande de lui couper les ongles avec un casse-noisettes depuis qu'elle imagine que je suis sa mère. Elle enfile ensuite une robe d'un rose défraîchi, dont le collet de satin blanc tourne au gris.

– Est-ce qu'elle me va bien?

Je lui réponds qu'elle est très belle. Lorsqu'on ne se voit plus, lorsque des yeux succombent à la tentation de migrer vers le corps d'autrefois, il importe qu'un tel déménagement s'effectue en douceur. Estelle se penche, palpe ses jambes. Déjà usées, striées de varices, paralysées par des crampes en dépit de son jeune âge.

– Ça doit être une ruse de Dieu qui me joue des tours sans arrêt.

Des monstres rassemblés sur le fauteuil lui promettent la mort. Ces monstres-là sont une infirmité du siècle. Naître en 1908, apprendre à lire à six ans, épeler le mot «liberté» avec ferveur parce que c'est le meilleur remède contre le manque de vêtements et de nourriture, et dans le courant de la même année, savoir par le journal que c'est la guerre et qu'on attaque la liberté, c'est inadmissible. Estelle croit que sur le fauteuil s'agitent ceux à qui la guerre a arraché leurs bras, leurs jambes, leur vie.

Elle baisse la voix, elle chuchote qu'Alberto file comme un oiseau sur la patinoire. Elle chuchote qu'une bête noire lui mange le cœur et qu'à seize ans, elle ne peut pas demeurer déjà dans de la peau ridée, dans ce visage beaucoup trop vieux pour elle, aperçu dans le miroir de son poudrier.

– Je veux revenir à la maison.

Appuyée sur moi, elle avance dans l'espace privé d'espérance. Je lui montre le manteau bleu marine. Elle sourit, me dit que Frank Sinatra a chanté seulement pour elle. Elle me dit qu'elle devait avoir neuf ans quand elle a cousu sa première robe; c'était pour se battre contre la guerre, en 1917.

Estelle s'est enfin endormie. Les objets courent des risques en s'engouffrant dans sa mémoire, en sortent méconnaissables. Tantôt, les six carnets d'adresses posés sur la table de chevet s'étaient convertis en cartes postales envoyées par sa meilleure amie. Estelle s'obstinait; il fallait que je déchiffre l'écriture de cette amie. Je suppose que la familiarité du regard avec les objets modifie ceux-ci, érodés et compromis par le poids de l'âme. Le regard leur cède une partie de l'âme que le cœur ne cesse d'y poursuivre. Les vieillards ont peut-être un cœur migrateur, un cœur faisant voyager les objets dans des directions inattendues.

À son réveil, Estelle grelotte dans sa robe rose.

– Donnez-moi mon manteau. Ici, ça empeste. Vous ne trouvez pas que Dieu s'est trop parfumé cette nuit?

– C'est la fin de l'après-midi, madame Bilodeau.

Estelle fixe un calendrier jauni, suspendu au-dessus du divan; elle adresse, la seconde suivante, un sourire moqueur à Maurice.

– Bonjour, la mouche. Ça fait mal?

Maurice ne comprend pas et hoche la tête. Il hésite à propos de la première page de sa biographie. Estelle le corrige: «Ton autobiographie». Il s'assoit sur le rebord du divan-lit et applaudit avec elle lorsque le chien casse une fenêtre et surprend des voleurs, sur l'écran du téléviseur.

Durant le souper, ils s'enchantent d'avoir rencontré des sénateurs et des héritières au cours des années quarante; eux seuls ont survécu à cette époque. Le danger rôde maintenant à chaque coin de rue. Personne n'ose aller dehors. Les gens s'emprisonnent chez eux devant leur téléviseur qui étale les malfaisances de la guerre. Les bombes et les balles tuent ceux qui n'ont pas encore admis le fait de cette catastrophe meurtrière. D'ailleurs, la guerre ne date pas d'hier, elle dévaste Montréal depuis un an.

Je les préviens une seconde fois que nous irons ensemble faire une promenade d'ici quelques jours. Ils verront des hommes et des femmes paisibles sur les trottoirs. Maurice hausse les épaules:

– On peut pas prendre une chance pareille! J'accepterai pas qu'Estelle soit exposée au feu des mitraillettes!

Je leur explique que cette promenade s'intègre aux directives du CLSC que je reçois. Les images de la désolation observées à la télévision les incitent à penser que je suis une rebelle réussissant par miracle à me rendre ici, même si je persiste à affirmer que je ne suis alors aucunement menacée. Estelle et Maurice font semblant de ne pas m'entendre. Ils s'informent de mon chat, le colonel Aureliano.

Des décisions d'une nécessité implacable les réclament, noter les cotes de la Bourse, faire leur toilette. Maurice estime que le moment est venu de commencer sa biographie. Estelle le corrige à nouveau. Songeur, il attend, une feuille sur la table.

– T'es pas patient, Maurice! Tu devais écrire ton autobiographie après mon enterrement.

– Vous, Josée, vous faites des fautes d'orthographe? me demande Maurice.

Il assure que je travaille trop et m'offre un café. Il effleure aussi mes cheveux et me propose une Attivan. Mes belles manières l'ont étonné dès le premier jour, sans compter mon courage et la joliesse des traits de mon visage.

– Mozart aurait pu vous louanger dans une de ses symphonies! On appelle ça comment, Estelle, une femme qui inspire un musicien?

– Une muse, une égérie.

– Josée, Estelle aurait plus de facilité à relire votre écriture. Y a rien qu'Estelle qui soit en mesure de vérifier si j'oublie rien des années du *Seignory Club.*

Estelle rit.

– Il n'est pas mauvais, il a le tour de cacher ses véritables motifs.

Je me retrouve subitement la confidente respectueuse de Maurice qui dicte:

Des gens ben intentionnés veulent me faire prendre l'air. La bonté de Dieu est infinie; elle s'occupe de moi et d'Estelle en s'incarnant en travailleuse sociale et en auxiliaire familiale. Je raconte ma vie pour laisser le message au bon Dieu que j'ai pas mérité un pareil châtiment. Les incarnations de Dieu n'écoutent pas la télévision et renient les maléfices de la guerre. Moi et ma femme, on a affaire à quatre lettres, C L S C, qui se trouvent même pas dans le dictionnaire, selon la plus honnête, la plus connaissante des femmes en vocabulaire. En remontant au commencement de ma vie, on verra ben que je suis pas un ignorant. Dieu s'est toujours manifesté à moi dans son infinie splendeur; il apprécie ma pureté, ma modestie et ma sympathie à l'endroit des affligés. Le dehors figure pas dans les desseins de la Providence, c'est ce que je vas mettre en lumière en signalant les exceptionnelles circonstances de ma jeunesse. Je dois devenir centenaire vu ma conduite exemplaire en toute occasion.

Maurice, épuisé, remet son autobiographie à plus tard et se réfugie dans sa chambre. Je souris à la vieille dame étendue sur le divan-lit.

– Et vous, vous avez envie de rédiger votre autobiographie?

– Dans ma vie, tout a déjà été dit. Il ne reste pas grand-chose à ajouter.

Elle examine le calendrier jauni.

– Vous le connaissez?

– Qui?

– Le Dieu du calendrier, celui qui coud des vies mal ajustées au corps du monde. C'est lui, le responsable de la guerre.

Plus jeune, à vingt ans, elle rêvait de liberté. Alberto, qu'elle avait aimé du plus profond de son cœur, croyait que la liberté existait en personne.

– Alberto était comme ça: il voulait que les mots finissent par exister en personne. Moi, j'ai une complice, la liberté. Elle m'aide à ne pas trahir les beaux mots d'Alberto. Le cœur dégèle au mois d'avril. Au printemps, j'espère chaque fois le retour d'Alberto. La mort a de la logique, vous savez. La pauvreté incline à l'économie. Quand je cousais, je prenais de vieux vêtements, je les décousais et j'en tirais du neuf. La mort est sûrement pauvre puisqu'elle vous reçoit sans mouvements, sans paroles. J'espère ça, au printemps, que la mort m'apporte du nouveau. Faites attention, ne cassez pas la tasse.

J'éprouve de la tendresse pour Estelle, peut-être à cause de cette particularité: elle donne corps à ses souvenirs; chaque tasse est un être qu'elle a connu autrefois. J'ignore pourquoi les habitants de sa mémoire sont sujets à une telle transformation, mais cela nous oblige l'une et l'autre à manipuler délicatement les tasses.

Elle me salue maintenant, s'invente une protection, une forme de chaleur, en serrant contre sa poitrine la photographie de Krystel, le personnage le plus distingué de l'émission «Dynastie».

– Adieu. À demain.

* * *

32

Quelqu'un cogne à la porte. Une inconnue brandissant un parapluie rose m'accoste en me bombardant de questions: «Vous êtes la femme du CLSC? C'est ça? Estelle est-y encore en train de dormir? Achevez-vous de laver la vaisselle? Et Maurice, cette espèce de chenille sans couleurs, est-ce qu'y cherche toujours le trouble?»

Son parapluie déposé dans le bain, Alma, la bruyante sœur d'Estelle, revient dans le salon et suspend son imperméable dans la garde-robe.

— C'est une honte, le gouvernement va m'enlever ma pension!

Maurice, à demi éveillé, s'avance vers elle.

— T'es pas encore mort?

— Oui, ça va bien.

Maurice lui montre les six pots de vitamines qu'il a achetés hier, le 24 avril. Il n'épargne pas sa générosité, la santé d'Estelle est en jeu.

— C'est pourtant pas dans tes habitudes de te tracasser de l'appétit et d'la mémoire d'Estelle! As-tu un plan derrière la tête? Qu'est-ce que ma sœur va faire avec un surcroît d'appétit? À ma dernière visite, tu commandais plus rien à l'épicerie; la voisine vous a sauvés d'la famine en vous offrant l'nécessaire. C'est pour ça que j'ai téléphoné au CLSC.

Maurice propose un breuvage à Alma qui se tourne vers moi.

— Avoir été sa mère, moé, je l'aurais pas appelé Maurice! La chenille ou le bien-aimé des croque-morts, ça y aurait mieux convenu comme nom. Y est maigre à faire peur! Elle, a dort pour échapper à son sort! A dit jamais un mot plus haut qu'l'autre. A s'est toujours laissé faire!

Estelle se réveille ou fait semblant de se réveiller. Elle demande à Alma si des problèmes sont survenus durant son trajet jusqu'à l'édifice. Celle-ci ne lui répond pas, m'ordonne d'arrêter de balayer.

– Assoyez-vous, que je vous éclaire sur ses difficultés personnelles! A l'a des blancs de mémoire, est pas croyante! À part de ça, a mange pas assez, a marche pas assez! Ça fait un an qu'est pas sortie d'icitte, depuis l'accident. Ça s'est passé d'même, est tombée su'l'trottoir pis a s'est blessée à la tête; son pacemaker fonctionnait de travers, c'est le responsable de l'accident. Au CLSC, on m'a avertie, on va les caser dans un manoir pour les vieux. J'ai peur que ça revire en asile, cette histoire-là! Maurice, on a dû vous en parler! Y comprend pas, c'est son état normal! Le CLSC a dû vous renseigner, Maurice, c'est un avare, un maudit fou.

Maurice maugrée:

– Le CLSC veut que j'aille dehors, y parle de nous trouver une demeure. Qu'est-ce que j'ai fait au bon Dieu?

– T'aurais pu éviter ta naissance, ça aurait facilité les choses au bon Dieu pis à Estelle!

Maurice se met à hurler.

– Menteuse! J'ai jamais fait de mal à Estelle!

– Toé, cesse de nous faire accroire que t'es pas mort! Le sursis qu'on t'a ménagé te laisse pogné avec un squelette dont tu sais pas quoi faire!

– Je vas te prouver à quel point tu te trompes!

– C'est ça, approche de ton calvaire! Je vas te l'étamper sur l'front, ton calvaire, si t'as l'courage d'approcher!

Le visage des autres se convertit parfois en un lieu étrange et traversé par un drôle de bonheur qui se traduit par un sourire victorieux, sans rapport avec la situation. Les yeux exorbités, Alma et Maurice s'affrontent en se souriant. Le thorax incliné, ils se menacent du poing. Je ne peux m'empêcher de songer qu'ils sont heureux, plongés dans le mauve de cette

colère marbrant leurs joues. Que la haine leur sert de para-
vent, que tous les motifs sont bons pour les pousser à s'étrein-
dre mortellement. Estelle s'interpose et touche les mains de
Maurice. Ils reculent, s'abandonnent lentement. Maurice
murmure: «J'vas continuer ma biographie dans ma chambre.»
Estelle suggère à Alma de se reposer.

– T'as maigri, Alma. As-tu des envies de finir martyre,
pareille à notre mère?

Estelle n'est jamais Estelle sur les lèvres d'Alma qui
s'adresse encore à moi.

– Vous êtes en mesure de vous faire une idée, vous, la
femme du CLSC. J'ai pas les apparences d'une martyre. Ma
sœur sait pas se défendre; ça a commencé dans sa jeunesse,
sa misère à s'accommoder à l'ordinaire. Mais y a une chose
de certaine, la ville de Bonaventure se déplaçait pour la voir
patiner avec Alberto.

Alma a repris son parapluie et son imperméable. Il faut
que je m'occupe bien d'Estelle, il faut veiller à ce qu'Estelle
mange et dorme comme du monde.

– J'ai mis sa carte d'assurance-maladie dans le deuxième
tiroir de la commode. Guettez-la: un jour, elle va se suici-
der, elle est même pas religieuse. Lui aussi mérite votre attention, y s'est essayé deux fois, y s'en est tiré grâce à des
lavages d'estomac.

* * *

Je lave la vaisselle, Melquiades, en pensant à ma dame
confuse, de nouveau assoupie. Elle a des yeux d'un bleu si
profond qu'ils défient la belle folie des ciels les plus voisins de la mer. Je pense par espoir de respirer plus facilement. C'est vendredi, c'est le 25 avril, c'est tellement épuisant

35

de suivre les gestes lointains de deux vieillards qui s'abusent et s'avouent prisonniers d'une guerre qui se déroule dans la ville. Des odeurs d'urine et d'Antiphlogistine flottent dans la pièce. Dehors, ce doit être le soleil, ce doit être la terre enceinte des pissenlits et des iris. Ici, j'étouffe.

Leur sommeil comporte des revirements. Il vient de livrer Estelle à une étrangère qui exige actuellement son Chanel, sa robe de soirée sur laquelle la costumière a brodé des centaines de camélias. Elle doit se dépêcher, ses amis l'attendent. Cette étrangère rêve que toute l'assistance l'applaudira dès son entrée dans la salle de cinéma.

Estelle se barbouille les paupières avec un crayon à cils, applique du rouge sur son menton, redemande son Chanel et sa robe de soirée. Je choisis parmi ses vêtements l'unique robe de bal. Puis je regarde ses mains qui tremblent, ses mains complètement esseulées dans l'univers, et cherchant le collier de perles que lui a offert récemment le prince Rainier. Les coutures de la robe trop étroite se défont sous ses aisselles tandis que ma présumée Grace Kelly veut savoir pourquoi le sort inéluctable multiplie les obstacles, précisément ce soir, avant la première de son film *Le Cygne*. Ses souliers blancs sont bien trop petits et l'ourlet de sa robe est décousu.

– Mes amis Gary Cooper et Cary Grant m'ont dit confidentiellement qu'une bête noire leur mange le cœur. Je dois être à la hauteur de leurs confidences, me présenter à l'heure au cinéma.

Elle se rappelle qu'elle a appris à coudre très tôt et va faufiler cet ourlet pitoyable. Elle le repousse aussitôt dans l'inconnu, s'apprête à recevoir les hommages dignes de son talent et de sa beauté.

– Est-ce que c'est vrai? Suis-je belle autant qu'on le prétend?

J'assure que oui, en la conduisant vers la porte. Les années dansent sur des visages captifs, happés par des souvenirs qui ne leur appartiennent pas, lorsqu'il ne reste à prêter aux autres qu'un visage, lorsqu'il ne reste plus des autres que ce délire en lequel des rides se donnent un avenir illusoire.

Il est indispensable d'accompagner parmi leurs chimères les êtres ainsi volés à leur présent, sans les bousculer, surtout quand ils sont vêtus d'une robe de bal abîmée. Je serre le bras d'Estelle, j'ouvre la porte. Elle trouve que la ville de Hollywood a grandement changé; en une journée, la ville a pris l'allure d'une maison. Dans le couloir, nous revenons sur nos pas sans qu'Estelle s'en aperçoive; je lui fais remarquer ce ciel grisâtre, manifestement orageux, en fait ce plafond gris qu'elle imagine ébranlé par le bruit du tonnerre.

Elle va dormir, elle va échapper à cette célébrité qui contrarie les mots à retenir en prévision du combat. Je l'aide à enlever sa robe et à remettre sa jaquette.

Allongée sur le divan-lit, Estelle raconte qu'elle va se marier. Il faut tout promettre, en avril, aux vieilles dames qui demandent qu'on frise leurs cheveux blonds, qui demandent qu'on les escorte jusqu'à l'église: elles veulent simplement qu'on ne les oublie pas. Je me suis étendue près d'Estelle. Témoigner d'une absence, témoigner de jours qui sont silence, cela use la chair qui a beaucoup trop menti pour ne pas se sentir comme un ciel d'avril amer et venteux. Le plus pénible, dans cet état de témoin, c'est d'éprouver brusquement la pesanteur du visage devenu vrai dans la solitude du mensonge.

Les éternelles pantoufles de Maurice ne permettent pas de deviner son arrivée dans le salon. Il me frôle l'épaule.

– Vous vous êtes endormie.

– Non, je réfléchissais.

– Vous allez bien? On est contents, Estelle et moi, que vous soyez la gardienne de notre autonomie.

Je me relève et prépare le souper. Maurice réveille Estelle afin qu'elle ne manque pas son émission, «Le chien vagabond».

– Lundi prochain, Maurice, on regardera «Dynastie». Alexy a peut-être assassiné quelqu'un aujourd'hui.

– Lundi, nous irons dehors.

Maurice et Estelle m'observent.

– Montréal n'est plus un lieu tranquille. Y a sans cesse des nouvelles victimes. Vous rendez-vous compte que vous mettriez en danger la vie d'Estelle pis la mienne?

– Plusieurs pays sont détruits par des guerres, mais pas Montréal.

– Les annonceurs en parlent, on a découvert des gens dépecés dans des poubelles. Des enfants disparaissent. Ce n'est pas pour vous offenser, Josée, mais vous êtes dans l'ignorance de l'actualité. On n'a jamais été aussi écartés de la liberté, affirme Estelle.

Je leur explique que cette promenade vise à augmenter leur degré d'autonomie et qu'au CLSC, on m'en a signalé à maintes reprises l'impérieuse nécessité. Maurice réplique:

– Dieu vous protège des balles des mitrailleuses, dans vos allées et venues. J'sais pas comment vous avez fait pour gagner son indulgence.

– Je vais ouvrir les rideaux. Venez voir, la rue est paisible.

Ils refusent et attendent que je serve le souper. Ici, certains mots font peur, en particulier «dehors» et «déménager». Estelle installe près de son couvert la photographie de Krystel; Maurice pose son réveille-matin à côté des pots de vitamines et des flacons d'Attivan encerclant son assiette. Ces objets les préservent, semble-t-il, des intrusions de l'extérieur. Les paroles qu'ils échangent pendant le repas doivent également conjurer le péril que je représente.

– As-tu téléphoné à madame Thivierge, Estelle?

– Je vas y téléphoner demain.

– As-tu appelé Alma?

– Alma? Elle est venue à midi, tu t'en souviens?

– Ben sûr! Dans ma biographie, je vas t'assurer la gloire, Estelle!

– Il y a une bête noire qui me mange le cœur. Vas-tu le mentionner?

– C'est pas surprenant. Y fait tellement clair dans le salon depuis que la femme du CLSC a ouvert les rideaux, ça dirige l'imagination vers son déclin.

Estelle me prévient de ne pas casser la tasse quand j'apporte du café. Les instants défilent fragilement. Maurice note les cotes de la Bourse, Estelle caresse le tissu d'une robe verte. Elle me dit que ses robes lui insufflent le courage essentiel à la poursuite du combat qu'elle mène contre Dieu et ses fils monstrueux. Maurice feuillette un carnet d'adresses, le referme et s'éloigne dans sa chambre. Estelle me dit encore qu'elle reçoit souvent la visite des fils de Dieu, ces monstres qui n'expriment aucun respect envers les personnes âgées. Elle a eu le malheur de se confier à Alma; celle-ci a décrété qu'elle perd l'esprit. Pourtant, c'est une vérité bien dérangeante; chaque soir; les monstres grouillent sur le fauteuil et menacent de lui ôter la vie. Elle a recherché le motif de ces apparitions: elle est une femme honorable et considérée, une femme tenant la logique en grande estime.

– C'est ce siècle qui est infirme. Le siècle a le goût de l'assassinat, il l'a prouvé en 14-18, en 39-45. La guerre, ça recommence chaque jour. Les trépassés viennent ici, ce n'est pas pour rien, ils savent que je vais finir par la rencontrer, la liberté. Ce désir remonte à mon enfance. Est-ce que ça fait de moi une folle?

J'effleure les cheveux blancs d'Estelle.

– S'ils ne voulaient pas me voler ma dernière heure, je ne les craindrais pas, vous comprenez?

La détresse de la vieille dame insurgée s'incarne parfois en Grace Kelly et, le soir, en citoyens vaincus par des militaires. Elle me tend la main avant mon départ; j'étreins ce qui perdure de doutes et de rêves dans cette main; je souris à ma dame confuse dont les nuits troublées par une masse de souvenirs fomentent une insurrection contre Dieu.

CHAPITRE 3

Ce lundi 30 avril, nous ne sortirons pas. Estelle vient de me demander si c'est la nuit. Elle me parle ensuite de celle qui lave le plancher à quatre pattes avec un torchon, elle me parle de moi comme s'il s'agissait d'une autre. Elle s'agite en apercevant Maurice dans le salon.

– Qui est cet homme? Pourquoi ose-t-il venir chez moi?

Maurice soulève le récepteur du téléphone et se lance dans une entreprise de persuasion, auprès du pharmacien:

– Sa prescription est à renouveler... Je suis Adrien Tremblay, le frère de Maurice... C'est ça, Adrien Tremblay. Mon frère peut pas aller à la pharmacie, il fait du zona, il dormira pas cette nuit si vous faites pas la livraison.

Estelle me supplie de la cacher. Les fils monstrueux de Dieu essaient de l'étrangler. Maurice me donne le journal dont je dois lire un article. Il y a aussi la liberté que je dois aller chercher, selon Estelle, il y a ces vitamines que m'offre Maurice, il y a ici tout l'appareillage indispensable à la confection de l'égarement le plus désarmé, le plus impuissant.

Il faut parfois écouter une vieille dame qui murmure «Y êtes-vous allée? L'avez-vous retrouvée?», et puis, il faut mentir, dire à la vieille dame que la liberté est encore occupée mais qu'elle ne devrait pas tarder. Estelle s'apaise enfin. Je m'assois un instant. Maurice me remet l'article de journal.

– Est-ce que c'est ça, la maladie d'Estelle, l'Alzheimer? J'ai le dessein de me rendre à cent ans. Ma valise est déjà prête pour le voyage que je vas faire en Italie. J'attends la disparition d'Estelle avant d'acheter mon billet d'avion. Tenez, le vingt dollars, c'est pour le livreur de la pharmacie.

Je balaie. Ils se sont endormis. J'existe, j'insiste, j'existe ailleurs qu'ici. Y croire me permet de continuer, de nettoyer la porte-fenêtre et de m'esquiver au loin, dans l'*Eurydice* de Jacques Ferron. Estelle, en s'éveillant, me sourit: «Où est le dictionnaire?»

Je l'ouvre au hasard; elle récite la défintion de mots qu'elle propose. À son avis, c'est un exercice d'identification personnelle. Depuis cet avant-midi, les projets du CLSC la menacent directement; plus tôt, la travailleuse sociale a discuté avec Maurice de leur déménagement.

Autrefois, quand Alberto est mort, le malheur avait fondu sur elle. Ces jours du mois de mai de la cruelle année 1928, elle s'enfermait dans sa chambre, y marchait, défiée par un immense trou devant elle, sur le plancher et dans les objets. L'univers se fissurait, l'univers était comme elle, prisonnier de la bête noire du désespoir.

– Avez-vous déjà eu des rapports avec cette bête-là?

Je me contente de hocher la tête.

– La bête noire fait qu'on n'a plus connaissance de rien. Elle vous ôte votre corps, vous n'y êtes plus, vous n'êtes plus nulle part. L'aveuglement se répand dans ce que vous touchez, dans ce que vous voyez. Partout, il y a de la nuit qui vous ignore, il y a de la nuit qui coupe la parole à tout ce qui songe. Et il y a des moments où la bête se trompe de direction, elle vous fait tomber. Vous êtes là à vous tordre sur un plancher, vous fessez à coups de poing sur le plancher mais ce n'est pas vous, c'est un animal débordant d'épouvante. La nuit n'a aucune relation avec l'habitude d'être quelqu'un, elle n'a souvenance que de la souffrance des bêtes écorchées. Le 28 mai 1928, j'étais un monstre. C'est probablement Alberto qui a dû penser à moi, de l'autre côté, et me souffler que mon désespoir n'avait rien de distingué. Je me suis examinée dans le miroir. Il fallait que je délivre cet animal entrevu dans le miroir. Il fallait que je trouve de l'espoir quelque part. Alors, j'ai saisi le dictionnaire qui était l'allié d'Alberto. J'ai appris des mots à la bête. Puis je me suis installée devant la machine à coudre de ma mère, j'ai cousu une robe. Les machines à coudre ont un mystérieux pouvoir, elles rapiècent les morceaux décousus de vos idées et de votre vie. On a toujours besoin d'alliés au cours des libé-rations; maintenant, la bête noire revient à cause du CLSC. Voulez-vous être mon alliée?

Estelle me tend la main. Je promets. Nous concluons un pacte dont la nature est déterminée par elle. Lorsque la bête se manifestera et lui enlèvera l'usage d'elle-même, j'appri-voiserai cette bête et je devrai la consoler. La convaincre qu'Alberto approche, que ce ne sera plus très long et qu'il ramènera des méléagrines.

Je prends une bouteille de vin dans l'armoire au-dessus du réfrigérateur. Nous buvons car les grands de ce monde scellent ainsi les transactions importantes.

Le vin a procuré à Estelle un sommeil tranquille jusqu'à trois heures. Elle a regardé «Dynastie» avec Maurice. Plus tard, ils ont voulu que je m'assoie entre eux, sur le rebord du divan-lit, cependant qu'un chien se chargeait de la détresse des personnages de l'émission suivante.

Le souper terminé, Maurice s'est écrié durant les nou-velles:

– Dehors! La travailleuse sociale m'a rabattu les oreilles avec ça, avant-midi. Elle prend sûrement pas la peine d'écouter la télévision!

* * *

Ce mardi premier mai, ils m'observent et font semblant que la journée va se dérouler semblablement à celle d'hier. Estelle me prévient de ne pas casser les tasses pendant que je lave la vaisselle. Maurice l'interrompt.

– Tu te rappelles, le violoniste a été foudroyé par une crise cardiaque, un premier mai.

Ils parlent des morts de leur parenté et du *Seignory Club*. Estelle feuillette un carnet d'adresses. Maurice, abonné à un journal américain, s'intéresse plus particulièrement aux trépassés de New York. Là-bas, l'humanité est plus mauvaise qu'ici et forge des plans, il hésite, «machiavéliques», suggère Estelle. «Très bien, très bien, approuve Maurice, des plans comme ça pour que la mort ait moins d'allure.»

Que chaque nom suscite un sourire sur leurs lèvres, que chaque décès soit commenté avec des détails qui les font rire, me confond. Il ne leur reste plus guère de temps pour la vie, comment la mort des autres, qui n'est qu'une version possible de leur mort prochaine, les pourvoit-elle de cet immense plaisir?

Maurice se penche afin de ramasser le carnet d'adresses qui a glissé des mains d'Estelle; il ne parvient plus à se redresser.

– Le tube d'Antiphlogistine!

Je frotte sa colonne vertébrale, ses fesses décharnées. Des sillons violacés, des crevasses et des taches brunes cèdent sournoisement sa peau à celle qu'il s'obstine à suppo-

44

ser du côté des autres. La mort musicienne transformant la peau en partition est déjà entrée dans sa chair qui tente en vain d'échapper aux cercles de plus en plus larges où elle s'insinue en mauve, en bleu. Maurice, courbé, crie que ça fait horriblement mal. Estelle murmure: «La mouche a les ailes collées.» Je transporte Maurice jusqu'à son lit.

– Je veux mon chapelet. Dans mon état, je me risquerai pas à aller dehors.

Estelle dispose le parapluie du sénateur près de son oreiller. Le sénateur l'invitait autrefois à l'accompagner sur les rives du lac de Montebello. Elle bavarde, puis me demande: «Dehors, est-ce qu'il y a encore des êtres vivants?»

* * *

Elle a enfilé se robe verte, celle de Cary Grant, et par-dessus, elle a mis le manteau bleu marine de Frank Sinatra. Maintenant que la porte de l'édifice est ouverte, Estelle, muette, baisse les yeux, craignant d'être la future victime de cette guerre filmée par la télévision. Elle me retient par le bras, relève la tête et s'étonne de ce que les avions ennemis ne parcourent pas le ciel.

Nous avançons lentement sur le trottoir. Elle serre très fort mon bras droit. Tous les jours, des enfants et des femmes disparaissent. Tous les soirs, aux nouvelles, des journalistes rapportent des images de la guerre. «Vous savez, les soldats sont peut-être cachés; nous devrions rentrer», chuchote Estelle.

Je lui désigne ces personnes qui vont d'un pas paisible vers leur travail ou vers leurs amours. Elle est lasse, elle manque d'air, elle refuse d'aller plus loin, on lui a menti: ce n'est pas la guerre mais c'est bien pire, ces failles dans le trottoir, ces gens sortis d'un autre temps, légèrement vêtus malgré un tel froid. À la maison, il y a des biscuits Breton, il y a la télévision et son lit prêt à la recevoir. Il faut absolument revenir à la maison. Elle est incapable d'affronter cette menace inattendue, cette moquerie dans les yeux des gens.

Assise sur le banc vers lequel je l'ai entraînée, elle lâche un soupir. Cette foule et ce soleil lui donnent le frisson. Elle remarque que les poignets des gens sont libres; son nom et son adresse sont écrits sur ce bracelet en plastique, par ordre du CLSC. À voix plus haute, Estelle m'interroge:

– Êtes-vous certaine qu'ils sont vivants?

Se rapprochant de moi, elle saisit ma main, la garde dans la sienne. «Il y a tant de morts dans la vie, vous ne pensez pas que c'est dangereux de demeurer ici?»

Quelqu'un s'affale sur le banc, à la gauche d'Estelle. L'homme regarde son chapeau, s'enquiert: «Vous prenez l'autobus?» Elle recourt à ses manières les plus distinguées, dégage sa main de la mienne et la présente avec grâce à l'inconnu.

– Je suis enchantée de faire votre connaissance. Je m'appelle Estelle Bilodeau. Je n'attends pas l'autobus. C'est le sort inéluctable qui m'a dirigée vers ce banc. C'est une aventure stupéfiante que de quitter son chez-soi, n'est-ce pas?

– J'ai une de mes tantes qui est comme vous, elle se promène toujours avec un chapeau.

– Ah! mon chapeau, c'est un cadeau du sénateur.

– Lequel?

– Il habite la Californie. Est-ce que ce sont des sénateurs, au Québec, qui sont responsables de l'état des trottoirs?

– Non, c'est le Conseil municipal de Montréal.

– Moi, dans ma jeunesse, je n'avais pas peur de marcher ni de patiner.

– Cet hiver, je suis allé patiner au lac des Castors.

– Avez-vous rencontré quelqu'un qui s'appelait Alberto?

– Non.

– Il va falloir que je m'en aille, la mouche m'attend. Et puis, le ciel annonce de la pluie.

Le soleil est un bel illusionniste, il métamorphose en coulées d'or les chevelures blondes des passants qu'Estelle examine avant de saluer l'étranger: «Adieu».

Quand nous entrons dans le salon, une infirmière tâte le pouls de Maurice allongé sur le divan-lit. Estelle raconte que dans la rue, la guerre n'a rien détruit. Elle se trompe peut-être, répond Maurice; la vieillesse affaiblit les pouvoirs de la vision. L'infirmière conseille à Maurice de prendre des marches. Il lui réplique que l'autonomie n'est pas une question de jambes; son autonomie est celle d'un pianiste; ses doigts seuls sont en cause. Au surplus, ce n'est un secret pour personne, il écrit sa biographie, une activité exigeante à laquelle il consacre le meilleur de son énergie.

L'infirmière partie, Maurice avale une vitamine et une Attivan. Il retourne dans sa chambre pendant que j'aide Estelle à remettre sa jaquette. Il s'en va deux heures trente, elle croit qu'il s'en va minuit.

– Josée, j'ai besoin de la bergère et du parapluie.

* * *

Elle s'est assoupie avec, près d'elle, ce parapluie et cette bergère de porcelaine. J'époussette les bibelots sur la commode, convaincue qu'enfin, Maurice et Estelle ne courent aucun risque, hormis celui que je casse un des bibelots. Ce serait terrible: il me semble de plus en plus que ces objets respirent pour eux. Leur vie d'autrefois se déroule encore dans le berger et la bergère de porcelaine, dans les fleurs artificielles, dans le coffret à bijoux, dans ce soulier de verre et cette bouteille de scotch vide. C'est ce que le temps leur a laissé, c'est tout et c'est très peu, des indices ténus confirmant leur passage dans des maisons et des hôtels.

Ils regardent souvent ces objets, les palpent, les caressent et se regardent ensuite. Dans chacun d'eux, se tient une lignée de mots correspondant à des événements précis; la bouteille de scotch vide leur rappelle leur voyage à Porto-Rico, et les fleurs artificielles ont été rapportées de New York par Maurice.

Cette rumeur des objets que les bruits de Montréal ne réussissent pas à couvrir, occupe, certains jours, toute la place. Et cette angoisse, lorsque Maurice ou Estelle ne retrouve plus un bijou, un carnet d'adresses. L'oubli, alors, prend corps: il n'existe que cette chose égarée où, soudain, les lieux s'abolissent, où plus rien ne peut leur arriver, tout s'en va, tout s'efface, et il ne reste dans leurs corps oublieux que cet objet-là, captivant l'univers.

Penchée, j'ai collé mon oreille contre la bouteille de scotch. Maurice me demande: «Qu'est-ce que vous faites?» Je mens, j'assure que j'étais dans la lune.

– Venez-vous copier ce qui s'est passé dans ma vie? C'est le bon moment, Estelle dort.

Assis, il réfléchit, commence à dicter.

Quand j'étais jeune, ma mère me disait: "Maurice, t'es un enfant trop sérieux." Je prenais à cœur mes études ainsi que la bonté de Dieu qui m'aimait assez pour m'admettre dans son intimité. Je ne m'adonnais pas à des comportements dégradants, au contraire de mon père qui buvait trop et qui battait ma mère. Ma mère avait des intentions irréprocha-

bles mais elle avait aussi le théâtre dans le corps; ça l'obligeait à fréquenter des endroits pas très chrétiens en vue de l'avancement de sa carrière. Mon père, lui, était menuisier et prédestiné aux crises cardiaques par voie familiale.

Ma mère entretenait des espérances à mon égard; grâce à elle et à un vieux phonographe, je suis entré très tôt en contact avec les grands de ce monde, Mozart, Bach, Chopin et Vivaldi. Mon frère Adrien était mon aîné de cinq ans; il s'était mis la poésie dans la tête et parlait de se fiancer avec une tempête. Ma mère considérait que c'était bon signe, Adrien remplacerait Rimbaud. Elle nous aimait démocratiquement et s'attendait à ce que moi, je devienne un musicien célèbre. Si mon père ne s'était pas trouvé dans le décor, le bonheur aurait été complètement de notre bord. On n'était pas riches mais Dieu nous faisait souvent bénéficier de ses illustres faveurs. Par exemple, ma mère avait déniché pour moi un protecteur qu'elle avait connu dans une église de Montréal, en période de repentir. Il m'a procuré toute l'assistance nécessaire, il m'a gratifié d'argent et d'affection, ce qui a eu pour conséquence qu'à treize ans, j'étudiais au Collège Brébeuf. D'ailleurs, le voisinage et la parenté étaient prêts à gager que mes surplus de piété feraient de moi un saint homme. J'ai commencé mon cours classique en 1911. Ma mère avait persuadé mon protecteur que j'étais doué pour la musique. Lui, il était chanoine de sa personne et faisait dévier une partie de ses ardeurs religieuses sur ma mère; il l'embrassait sur la bouche. Un jour, mon père les a pris en flagrant délit d'impureté et le chanoine a récolté un bras cassé.

C'est comme ça que le fait d'avoir la vocation m'a permis d'apprendre le piano. Le chanoine s'informait régulièrement de mes progrès. Jamais on n'avait entendu pareille harmonie dans la salle de musique du collège; moi, sans le vou-

loir, je transportais mon professeur dans l'extase. Ce n'est pas dans mes habitudes de m'encenser, c'est mon professeur de piano qui le disait à tout venant: Dieu avait semé sa divinité dans mes doigts. Promis à un brillant avenir, je voyais les difficultés s'aplanir sur mon chemin. Les jésuites me donnaient en exemple aux autres élèves. J'étais scandaleusement beau, j'avais du talent, aux examens, je me spécialisais dans les quatre-vingt-dix pour cent. Ça plongeait les élèves dans le péché; ils se répandaient en calomnies et en perversités sur mon dos comme si ça relevait de ma décision, d'être un cas de beauté et de génie exceptionnels.

Les grands musiciens ont dû se taire comme moi et endurer la bêtise humaine. En plus, j'avais le privilège d'avoir un frère débordant lui aussi de génie. Adrien n'avait pas eu la chance de faire son cours classique; il s'enfermait dans sa chambre à journée longue, me contait ma mère au parloir. Il rêvait, il écrivait. À force de rêver, il avait fini par croire qu'il était le fiancé d'une tempête. Dans ses poèmes, il partait en peur et décrivait les préparatifs de ses noces avec cette tempête-là. Adrien, c'était pour moi l'équivalent d'un mystère. Je passais les vacances de Noël avec lui et, à l'été, les grandes vacances. Ses poèmes me touchaient au plus haut point, en particulier ce passage qu'il me répétait:

L'enfer et le paradis convoqués
par des soleils insupportables
scellent leur nuit dans un cri
de neige éblouie de neige centenaire
à entendre le roulement du glas.

J'écoutais Adrien en caressant ses cheveux; il m'expliquait que le paradis et l'enfer étaient des centenaires; j'avais seize ans quand l'amour s'est révélé à moi, confondu par l'émoi de ma chair devant mon propre frère. Je cachais mon

50

amour. J'étais à l'image de Marie-Madeleine rencontrant le Christ pour la première fois, j'étais gêné et ébranlé dans mes convictions charnelles. Je me contentais d'écouter et de prendre sa main en y disant: "C'est beau." On partageait la même chambre, le même lit. La tentation était grande durant la nuit, je risquais de succomber. Ce dont je parle, j'aurais pu le passer sous silence; comme tous les grands musiciens, j'ai été éprouvé dans mon corps et dans mon âme. Une nuit, malgré mes appels à la Providence, le diable s'est montré plus fort que moi; j'entrerai pas dans les détails, écrivez qu'une nuit, en 1914, j'ai découvert le mystère d'Adrien. Je péchais modérément, je le faisais en mêlant mon acte de contrition à mon plaisir, pour attirer le pardon divin. Y avait six chaises dans la chambre, c'était pour la visite; je les ai conservées par respect pour la mémoire d'Adrien.

Maurice m'interpelle en souriant:

– Ça, c'est notre secret. Vous comprenez que c'est une preuve de confiance, vous dicter ma biographie! D'ailleurs, ça faisait partie des desseins de la Providence de me jeter dans les bras de mon frère. Ça devait être pour réparer les torts de Caïn envers son frère Abel. J'ai été rien d'autre qu'un instrument entre les mains de Dieu.

Sa main tremblante s'agrippe à la mienne. Il avale une Attivan, conformément à son objectif de devenir centenaire, et effleure ensuite mes cheveux; il me promet de ne pas avouer à Estelle que je lui ai volé ce collier qu'elle cherchait en vain ce matin. Je dois jurer sur la Bible que rien n'entachera la réputation d'honnêteté que Dieu attend de sa créature, sinon il va me soupçonner d'être un suppôt de Satan.

À trois heures, Maurice réveille Estelle; ils suivent l'actualité, plus précisément, ils regardent «Dynastie» et «Le chien vagabond». Ils s'imaginent que ces émissions les informent sur la réalité mondiale, qu'Alexy et Krystel s'affrontent chaque jour et qu'Alexy, une intrigante de la pire espèce, est responsable des conflits internationaux. Après le souper, la lecture du bulletin de nouvelles les absorbe autant. Ce soir, Estelle doute de la véracité des propos d'Alexy et de ceux de l'annonceur. Avant de retourner dans sa chambre, Maurice conclut que les hostilités doivent commencer avec la noirceur, pendant la veillée. Estelle, allongée, me sourit.

– Alberto m'appelait sa reine. Le dimanche, il me rejoignait sur la patinoire. Il filait comme un oiseau sur la glace. Il ne savait pas qu'autour de lui le soleil allumait un feu d'étincelles mauves et bleues. Il était si beau, si grand! Quand je lui donnais la main, tout se mettait à exister plus fort que d'habitude; je ne contrôlais plus mon cœur. C'était exactement comme si je grimpais à côté du soleil. Le cœur prend le large dans des moments semblables; on souhaiterait ne plus jamais bouger, ne plus jamais revenir sur terre. Puis il se penchait, baisait ma main. Je frissonnais. L'amour, ça me permettait d'être un albatros ou la cime d'une épinette.

En cet instant, le visage d'Estelle est un lieu où s'accomplit la douceur. Alberto l'appelait aussi Arachné. Ils avaient vingt ans en 1928; l'histoire d'Arachné, trop courte dans le dictionnaire, avait subi des modifications importantes car Alberto et elle s'aimaient comme ça, en rallongeant la signification des mots et en introduisant les gens de la mythologie dans des changements inédits. Arachné en était venue à braver, non seulement Athéna, mais également tous les dieux connus. Elle ne faisait pas que tisser des vêtements et des couvertures, elle se forgeait un royaume en s'emparant du ciel. À la fin, ils y croyaient ardemment, à cette histoire dans laquelle une femme cherchait la liberté par tous les moyens, y compris celui de transmettre des messages aux terriens par l'intermédiaire de Mercure. À la fin, ils s'étaient pris pour Arachné et Mercure, tellement une histoire peut ravir l'espace du corps amoureux.

– Alberto était si distingué. Il disait que la chair se souvient du début de l'univers dont elle était un fragment, il y a des milliers d'années. Il disait que le cœur erre toujours en quête de l'étoile qu'il était dans le ciel alors présent. Alberto se désâmait à vouloir se retrouver, il y a des milliers d'années.

Qu'Alberto la serre dans ses bras, ça lui suffisait. Lui, il voulait tout, absolument tout, et particulièrement, il voulait aboutir avec elle dans leurs corps de jadis, au début de l'univers. Un pacte les liait, ils allaient mourir ensemble. Alberto se plaisait à décourager l'emprise du bon sens sur le déroulement des jours. Estelle soupire.

– J'ai mal à la gorge; des fois, j'oublie que j'en ai une. Ça m'arrive de tout oublier, même Alberto. Je vous ai dit qu'il m'appelait Arachné? Je vous ai dit qu'en février 1928, Arachné avait déménagé de l'Olympe et qu'elle se battait contre Dieu lui-même? Quand je parle d'Alberto, j'ai l'impression que je vais le toucher. Une vitamine ne me ferait pas de tort; selon Maurice, ça renforcit les idées.

Estelle avale une vitamine et continue.

– Alberto avait les cheveux blonds et frisés. Ses cheveux vaguaient naturellement. Il avait les yeux bleus, et une majesté saisissante dans son regard et dans son maintien. Le plus bel homme de Bonaventure! Je le revois tournoyer sur la glace, puis sauter comme un grand oiseau blanc. On valsait, les autres nous applaudissaient et nous, on faisait la révérence. Oui, dans le temps, j'étais quelqu'un de célèbre.

Estelle me demande l'heure. À sept heures trente, chaque soir, elle lance un verre d'eau à la face jaunie de Dieu, habitant la gravure d'un calendrier de l'année 1928 suspendu au mur que longe le divan-lit. Estelle murmure, après avoir arrosé le calendrier: «Dieu, c'est mon pire ennemi. Il m'a volé Alberto; je ne le lui pardonnerai jamais!»

Je respecte les règles de ce combat mené par Estelle, je verse dans une tasse du vin qu'elle boit à petites gorgées pour fêter sa victoire. C'est ainsi chaque soir, ma dame confuse devient Arachné, cette humaine dont les forces se cabrent dans l'ultime tentation, ressusciter un grand oiseau blanc sur une patinoire, mais elle se heurte invariablement au Dieu d'un calendrier. À quatre-vingt-deux ans, on rêve encore de modifications importantes, on est encore fait d'espérance.

Avec ses jambes dépliées et ses bras étendus, sait-elle qu'elle ressemble actuellement à un oiseau? Sait-elle que la légèreté de sa chair l'apparente à tous ceux dont la silhouette traverse les nuits et les jours, sans cesser de défier la fugacité des mots? Notre véritable histoire, entre nos lèvres ouvertes, demeure si brève; ce qu'il en reste, la vie, la mort, le temps, ces nuits, ces jours, ces cœurs, ce corps dans lequel on passe, flambe sur nos lèvres, une seconde, un répit aussitôt démoli. Si nous rions, si nous pleurons si fort, c'est afin que cette seconde s'enfle et dure plus longtemps que l'éternité.

Estelle étreint ma main et s'enquiert: «Vous allez coucher ici? Il y a un orage qui s'en vient.» Elle répond elle-même: «Bien sûr, il y a votre chat! Vous serez là demain, à une heure?» Je la rassure. Et que mon chat bénéficie d'une fragile survie dans ses pensées, par suite de mon mensonge, me console un peu. Je l'aime, cette vieille dame confuse qui répète «Adieu» après m'avoir posé la question: «Est-ce que vous êtes parfois affectée par la longueur de la nuit?»

54

* * *

– Cette jeune femme sur la photographie, qui est-ce?

– Ah! C'est moi. J'avais quarante ans.

Je remets la photographie sur la commode. Maurice ajoute: «Estelle était ben trop belle, les acteurs et les sénateurs la laissaient pas tranquille.»

À Estelle qui a froid, j'offre son manteau bleu marine. Maurice lit la notice nécrologique du journal américain auquel il est abonné. Lorsque la travailleuse sociale pénètre dans le salon, elle les trouve assis sur le rebord du divan-lit, devisant sur les gens d'autrefois.

– Vous allez bien? Nous allons faire le point sur votre dossier. Elle tire une chaise, s'installe face à eux.

– Dans le quartier, à quelques rues d'ici, il y a un manoir de l'âge d'or. Votre degré d'autonomie est trop limité, il faut organiser votre déménagement dans ce manoir.

Estelle l'interrompt:

– On est heureux ici, on n'a jamais eu envie de partir.

– Nous en avons déjà discuté deux fois, reprend la travailleuse sociale. Madame Bilodeau, vous vous êtes cachée sous les couvertures; vous avez dit que la décision dépendait de votre mari. Les documents sont prêts.

Estelle se tourne vers Maurice:

– C'est vrai, tu veux déménager?

– J'ai rien qu'écouté la travailleuse sociale. J'ai pas donné mon consentement.

– Monsieur Tremblay, vous paraissiez pourtant d'accord, la dernière fois? Le CLSC ne peut pas payer pendant des années un salaire à une employée veillant sur vous sept heures par jour, six jours sur sept. On n'a pas le choix. Dans une semaine, il faudra que ce soit bien clair.

Elle les a abandonnés en tête-à-tête avec leur désarroi. Maurice chuchote: «On n'a pas le choix», en regagnant sa chambre. Estelle fixe le fauteuil, me demande:

– Vous les apercevez, les monstres? Ils sont accourus en grand nombre pour assister à ma déchéance. Dans un asile, qu'est-ce qu'on fera de mes cris? Dans un asile, y aura-t-il de la place pour ceux qui m'ont aimée?

Même ces fenêtres par lesquelles lui parviennent les voix du tonnerre et des soldats éprouvent de la tendresse à son égard. Elle se dirige vers la porte-fenêtre, urine en marchant, se vide d'elle-même, de l'instant et du lieu présents. Je lui parle doucement de l'homme aux yeux bleus et aux cheveux vaguant naturellement; il s'approche, il lui apporte des mé-léagrines.

– Est-ce qu'il a aussi apporté son visage?

Estelle se déshabille, désire s'élancer nue dans l'eau de la baie des Chaleurs, ne désire ensuite plus rien, oublie la baie et m'interpelle brusquement: «La journée d'aujourd'hui, est-ce qu'elle a obtenu son permis? Vous savez, il y a bien des jours qui n'ont pas reçu leur permis!»

Elle veut absolument une machine à coudre et un dic-tionnaire tandis que la diarrhée coule sur ses cuisses, sur ses jambes. Je la conduis vers la salle de bains. J'essuie ses fes-ses, ses cuisses. Allongée dans la baignoire, elle se relève et fait la révérence car on l'applaudit, à Bonaventure.

Sur le lit, dans sa jaquette propre, elle grelotte et s'obstine à réclamer une tasse qui aurait reçu son permis. Tout s'em-mêle dans son esprit, les tasses, les jours et les nuits. Moi, j'embrasse ses cheveux blancs dans cet espace où rien n'est assuré, dans cet espace bouleversé par des vœux, par des vi-vants expatriés: de Montebello, de Bonaventure, de Hol-lywood, il vient des sénateurs, des acteurs dont les cheveux

vaguent naturellement. Il fait froid partout. Je dépose le manteau sur les épaules d'Estelle.

C'est un salon. Estelle dort dans ce salon. Je m'agrippe
à ces mots, par un jeudi 3 mai, abusée par une mémoire chan-
celante. Maurice s'avance vers moi, satisfait de ce que les
vitamines aident Estelle à se reposer et à augmenter son degré d'autonomie. Tantôt, ce sera plein d'actualité, ici, avec
Alexy et Krystel; auparavant, il va poursuivre sa biographie.
Je m'installe à la table et je note ses souvenirs:

*Quand je suis entré au conservatoire, j'avais vingt-et-
un ans. Le chanoine était décédé entre-temps et sa grande
amitié pour ma mère l'avait poussé à lui léguer six mille
dollars. L'anéantissement total d'Adrien, en 1916, avait réduit ma mère à la pratique de la pureté et de l'humilité. Elle
faisait fonction d'ombre dans la maison. Au moins, l'ombre
a ça de bon, elle a de l'ambition; ma mère a défrayé le coût
de mes études au conservatoire.*

*Avant de nous quitter, Adrien se consacrait énergique-
ment à écrire des poèmes dans sa chambre. Le 20 décembre
1916, aux vacances de Noël, je l'ai revu, amaigri, magané
de l'intérieur. C'était étranger au caractère d'Adrien, le poème
qu'il m'a lu dans la soirée du 20 décembre. Y était question
d'une mort italienne. "La mort a pas de nationalité" que je
lui ai dit. Il m'a répondu que c'était la coutume qu'un pape
meure dans son pays d'origine. Son idée était faite: moi, j'étais
un marchand de Venise, et lui serait confirmé dans sa mort
papale, le lendemain.*

*Le 21 décembre, je me suis fait un point d'honneur de
chasser ses plans de voisinage avec Dieu. On a marché dans
la rue Rosemont. Adrien me remerciait de lui faire visiter la
ville de Florence. Je l'ai ramené à la maison. Au matin du*

22 décembre, je me suis réveillé sans Adrien à mes côtés. Je suis parti à sa recherche, achalé par de noirs pressentiments. Je l'ai retrouvé seulement le 23, grâce au sermon sur la montagne dont il avait discuté avec ma mère, dans l'affreuse misère de son esprit délirant. Adrien était couché tout nu, près de la croix du mont Royal, avec dans sa main gauche, la seule chose capable de lui garantir une mort de qualité, un chapelet importé d'Italie.

Se rendre en Italie comme ça, ça revient peut-être pas cher. Quand même, moi, j'ai failli payer de ma personne et perdre confiance en la divine Providence. Le doute n'était pas permis, Dieu avait accepté qu'Adrien succombe à ses excès d'imagination. Alors, j'ai pensé que j'allais suivre Adrien, corps et âme, et je me suis étendu près de lui sur la neige, mais sans me dévêtir: j'voulais pas être matière à scandale malgré ma foi défaillante. J'suis resté immobile, ma main recouvrant celle d'Adrien. Mon bien-aimé était un fou, ça dérangeait pas la certitude qu'il était le foyer de ma tragique affection. Le sens de la réalité m'a rattrapé avec l'engourdissement; j'avais dix-huit ans et j'avais déjà donné un concert; l'assistance s'était levée pour m'ovationner, tellement que les murs d'la salle du collège craquaient. Dieu avait énormément de considération pour mon génie et il m'éprouvait en conséquence. J'ai expliqué à Adrien que j'allais retourner à la maison, que j'allais prévenir la police et que, si ma vie augurait mal parce que la souffrance a les yeux trop grands, je la gaspillerais pas en vain. Ma vie, ça serait juste une prière; je m'adresserais à Dieu afin d'y assurer un passage direct au paradis. D'ailleurs, j'ai convenu avec l'âme d'Adrien que je deviendrais centenaire et que j'accomplirais son ultime volonté, aller en Italie. Le seuil du désespoir, je l'ai traversé dignement.

Les années ont passé et n'ont pas consolé ma mère. J'ai dû avertir les jésuites que les émotions de ma mère contredisaient ma vocation. À vingt-et-un ans, je visais uniquement ça, faire une carrière internationale; ce n'était pas pour moi, c'était en vertu de l'amour que j'avais pour Adrien; notre amour allait franchir les frontières dans des partitions musicales d'une perfection inouïe qui laisserait les connaisseurs dans la stupéfaction.

Estelle s'éveille. Maurice s'empresse de dissimuler sous le sommier de son lit les deux feuillets. Estelle lui crie:
– Tu viens pas voir «Dynastie»?
– Non, j'ai envie de dire mon chapelet.
Puis, se désintéressant du sort d'Alexy et de Krystel, Estelle m'interroge. N'y a-t-il pas une loi qui empêche les autorités gouvernementales d'envahir l'appartement? Les gens distingués ont-ils complètement disparu de la surface de la terre? Pourquoi la travailleuse sociale les menace-t-elle? Maurice n'a jamais su se défendre. Au *Seignory Club*, elle le protégeait; elle lui prodiguait des conseils sur la manière de conquérir les riches héritières qu'il avait la manie de convier à la sainteté.
À l'âge de soixante-deux ans, elle a été congédiée par le gérant du *Seignory Club*. Elle a continué de protéger Maurice en l'épousant. Et maintenant, ça recommence, les autorités gouvernementales vont les contraindre à déménager. Elle me demande si je suis son alliée, elle me demande, en étreignant ma main, de chercher la liberté dans les tiroirs de sa commode.

CHAPITRE 4

Estelle s'examine dans la glace en ajustant sur ses cheveux la perruque préférée de Maurice. Ils recevront bientôt la visite d'Alma, la sœur d'Estelle, et de Georgette, la sœur de Maurice. Aujourd'hui, le 15 mai 1990, Maurice fête ses quatre-vingt-douze ans.

Elles sont entrées en criant; chacune a apporté un gâteau Duncan Hines que je dépose sur la table. Maurice applaudit. Georgette l'aide à souffler sur les bougies. Elle croit que la vraie maladie de son frère, ce n'est pas le zona mais plutôt la musique; dans le temps, il s'enfermait des heures dans sa chambre et donnait des concerts devant six chaises vides, avec un piano acheté grâce à ses économies. «L'économie, ça peut devenir un vice», assure-t-elle en faisant un clin d'œil à Alma qui s'exclame:

— Y a un virus gouvernemental dans l'air! C'est pire que le zona, les histoires de CLSC!

— La travailleuse sociale m'a téléphoné, affirme Georgette.

— Moi aussi, grimace Alma. Y vont vous ouvrir les portes d'la mort en vous forçant à déménager.

Le directeur du CLSC, un homme courtois, est venu vendredi dernier; il a expliqué à Maurice le «processus» comme on dit aux nouvelles. Estelle et lui auront chacun leur chambre au manoir de l'âge d'or. Maurice précise qu'au début, il n'approuvait pas l'idée d'un déménagement. Le directeur s'est déplacé en personne afin de lui prouver l'honnêteté des intentions du CLSC. Estelle souffre d'une maladie qui ne laisse pas grand espace à l'autonomie; au manoir, des infirmières vont s'occuper d'elle quand elle perdra son chemin. Le problème est là: Estelle s'imagine trop souvent qu'elle perd son chemin. Alma interrompt Maurice et s'adresse à Estelle:

– Vas-tu encore jouer à la sourde-muette? C'est des cercueils, les résidences gouvernementales où on parque les vieux!

Puis, se campant devant Maurice:

– T'as un peu d'argent! Vous seriez mieux traités dans une institution privée! J'en connais une sur la rue Fabre.

– C'est certain, c'est certain, s'écrie Georgette. Une institution privée serait la bienvenue dans votre vie! Ça coûte un peu plus cher; en tout cas, Estelle courrait pas le risque d'être internée. Avec les troubles qu'a l'a, va don deviner ce que le gouvernement peut décider.

Estelle remet à Maurice la photographie de Krystel. Ils s'observent. L'échange de cette photo, je l'ai remarqué à plusieurs reprises, signifie qu'un danger les guette. Je tranche quatre portions de gâteau.

De la crème coule sur leur menton. Ils se piquent les joues avec leur fourchette. Ils toussent, s'arrêtent pour se moucher, recommencent à manger et bavent. Je distingue malgré moi cette honte s'affichant dans leurs yeux. Ils sont là, tous les quatre, à multiplier les déclarations: «Aujurd'hui, il fait très beau, il fait soleil dehors, c'est la fête de Maurice, quatre-vingt-douze ans, que le temps a filé, on ne s'en est pas aperçu.» Alma joue ensuite avec la salière. Georgette replie sa serviette de table. Maurice effleure un flacon d'Attivan. Ils s'absorbent dans des gestes auxquels ils accordent peut-être le pouvoir d'anéantir les trahisons de l'âge, échapper une salière, tenir fébrilement une fourchette. J'accompagne Estelle jusqu'au divan-lit.

Le dos tourné, je les entends pendant que je lave la vaisselle dans la cuisinette.

– Maurice, ton expérience de l'avarice va contenter rien que le cimetière! Le manoir, tu y vas pour mourir! Ça, j'ai rien contre, mais Estelle aura pas d'autre choix que d'obéir à sa folie. Ça fait déjà un boutte qu'a se pratique dans ce genre d'obéissance qui va la conduire directement à l'étage des fous! C'est ça que tu veux?

Maurice hurle plus fort qu'Alma:

– T'as menti! Le directeur du CLSC me l'a garanti, nos chambres vont être voisines!

Je me détourne. Georgette tapote l'épaule de Maurice:

– Moi, j'ai des amies dans des résidences. Elles sont surveillées. Les employés fouillent dans leurs porte-monnaie. Maman estimait que t'étais le plus sérieux de la famille, quand on était jeunes, a croyait que t'irais loin. Si ça continue, t'iras pas plus loin que trois rues d'icitte!

Alma se penche au-dessus d'Estelle:

– Tu pourrais pas rien qu'une fois exprimer le fond de ta pensée?

– Je pense à rien.

– Tu te fies au monde, tu vois où ça t'a menée? Sur un sofa qui est même pas à toé: je te l'ai donné quand la nature de brigand de Maurice s'est révélée, pis qu'y t'a dépouillée de ta chambre!

Sous prétexte d'essuyer la nappe, je m'approche d'eux. Maurice brandit un carnet d'adresses:

– Estelle, vas-tu téléphoner à madame Thivierge?

– Oui, tout de suite.

Estelle saisit le combiné que lui ôte Alma. Le salon s'emplit de cris; il y a Maurice jurant que l'asile se trouve seulement dans la tête d'Alma, il y a Georgette clamant que sa belle-sœur déraisonne, il y a Alma reniant le jour où sa sœur a épousé Maurice. Estelle a recouvré le récepteur du téléphone; elle parle d'une reine partie la nuit passée à la recherche de son royaume. Le sort inéluctable lui a volé ses cheveux, lui a volé ses mains arachnéennes; sa chair flotte au-dessus des arbres afin de leur demander des nouvelles de la liberté. Elle prend son air le plus distingué, elle prend aussi le bouquet de fleurs artificielles qu'elle distribue à son public, le remerciant de sa fidèle admiration malgré qu'elle réside maintenant à Monaco.

Les êtres vivants n'auraient pas dû réapparaître au huitième étage de cet édifice de la rue Laurier. Alma vient d'enlever à Maurice son chapelet importé d'Italie qu'elle jette par terre:

– Ma vieille hostie, tu vas arrêter de causer du trouble à ma sœur! Mon espèce de chenille pas de couleurs pantoute, ton histoire de vitamines, c'est juste bon à endormir les saints du paradis!

La fête de Maurice est devenue, à mon avis, ce qu'Alma et Maurice souhaitaient secrètement. Ils s'insultent ainsi qu'on se caresse, ils se menacent du poing, abandonnés à un bonheur étrange, et ils sourient ainsi qu'on le fait en violent amour. La première visite d'Alma avait provoqué une crise semblable.

– Punaise, cochon, avorton, es-tu autre chose que d'la marde à étamper sur l'front d'un député? Si ça dépend rien que de moé, tu vas perdre l'honneur, te mettre à genoux devant moé pis t'excuser d'exister!

— Maudite folle, l'asile, ça revient pas à Estelle, c'est là que tu devrais être depuis longtremps! T'as d'ailleurs engendré un monstre que t'as caché en institution! Les monstres engendrent des monstres, c'est un proverbe de l'*Ancien Testament*!

— Toé, t'avais même pas les testicules greyés pour faire un enfant! Le bon Dieu, des fois, c'est un emplâtré. J'y rappelle dans mes prières qu'y doit se grouiller pour faire le nécessaire! Ça serait l'moment qu'y t'arrive avec une mort trimée exprès pour toé, une mort bourrée de menteries!

— Avec tout le respect que je te dois, je t'annonce que tu vas défaillir avant moi! Le diable est à veille de te rattraper, tu t'es fiancé avec lui à ta naissance!

Les visages rapprochés de Maurice et d'Alma se couvrent de taches violettes. Leurs lèvres sont presque collées, à tant vouloir recueillir l'ultime gémissement de l'ennemi désiré dans l'ombre. J'empoigne les mains de Maurice. Alma m'interpelle:

— Vous, la femme du CLSC, mêlez-vous de vos affaires!

Estelle, qui lançait de l'eau sur le calendrier jauni suspendu au-dessus du divan-lit, s'interrompt: «Quelqu'un a cassé une tasse? Alberto est-il déménagé dans la liste?» Je me précipite vers Estelle, je la rassure. Elle se lève et s'éloigne vers la cuisinette. Alma oscille de droite à gauche tandis que Georgette, pendue à l'une de ses mains, soupire:

— C'est assez d'émotions pour aujourd'hui! On s'en retourne chacune de son bord! Estelle est écartée comme c'est pas permis! Pourquoi tu m'arroses, Estelle?

Ma dame confuse se bat contre un Dieu dépassant la mesure et qui s'engrosse d'Alma et de Georgette. Maurice vient de pousser Alma, distraite une seconde par le jet d'eau reçu. Ils s'écroulent tous les deux sur le plancher, bras et jambes emmêlés, dans une soudaine proximité qui les fait toujours sourire. Je pense malgré moi qu'à leur âge, le mot «vivre» ne tient plus debout.

– Alma, va t'annexer au pays de ton monstre défuntisé avant toi par erreur!

– C'est ça, Maurice, montre ta nature de pervers ratatiné! Va falloir t'estiner une éternité avec Dieu pour y prouver que t'es un ange!

– On s'en va, vocifère Georgette.

Alma se redresse. Je m'accroupis, je tire Maurice par la veste de son pyjama et le soulève.

* * *

Après le départ de Georgette et d'Alma, Estelle et Maurice se sont assoupis. Je balaie, ma main se crispe autour du manche. Ici, s'élève un tumulte de peurs tapies dans les objets et dans les corps répandant une odeur de pourriture, d'urine et de sueur. J'ai beau me répéter qu'aujourd'hui, c'est mardi, le 15 mai 1990, ça ne me paraît pas possible; il y a trop de nuits, trop de jours sans permis, comme le dit parfois Estelle, il y a beaucoup trop d'intrus dans les préoccupations d'Estelle et de Maurice. Depuis le premier mai, nous consacrons le début de chaque après-midi à la liste. Estelle adopte ce terme pour désigner cette énumération de personnes disparues, des vedettes et des êtres anonymes dont l'agonie est relatée par des journalistes. Captivés par leur dernière heure, Maurice et Estelle se réfugient depuis le premier mai dans les journaux où l'on raconte la dernière heure des autres.

J'époussette maintenant. Je me répète intérieurement «maintenant», c'est une façon d'y croire pendant qu'Estelle quitte son lit puis fait la révérence devant le téléviseur. Elle délire, rejoignant ceux qui appartiennent à l'univers de la liste. Je l'écoute dans ce salon dont elle n'a plus conscience.

«Madame Grace Kelly, monsieur Frank Sinatra, monsieur Cary Grant, Estelle vous a parlé de moi. Je suis Arachné, votre loyale assistante dans la recherche de la liberté. J'ai porté divers noms autrefois. Je change sans cesse de nom parce que les prisons, elles aussi, modifient sans cesse leur nom. Vous avez eu la bonté d'accéder à ma requête et de réunir ici les grands de ce monde. Si je vous ai convoqués, c'est qu'il se passe des choses dans cet appartement, des événements susceptibles de causer des torts irréparables à mon amie Estelle. Elle est demeurée une jeune fille distinguée, les apparences se liguent contre elle pour que vous supposiez le contraire. Vous devez être à la hauteur de votre réputation, et déjouer les plans des autorités du pays qui ont décidé de la placer en institution.»

Estelle tend la main en direction du fauteuil. Elle s'assoit ensuite sur le rebord du divan-lit, faisant face au fauteuil, tout en agitant les carnets d'adresses:

– Vous savez ce que c'est? La liste de ceux qu'elle a aimés. Elle a dû raturer le nom et l'adresse de chacun. Ça a commencé avec Alberto en 1928. La nuit, elle cherche ceux qu'elle a aimés mais il n'y a que les fils monstrueux de Dieu qui se baladent ici. Pourtant, elle déploie une patience infatigable envers Maurice qui est irréductiblement une mouche, un homme mauvais dont les cris l'agacent.

Estelle prend le dictionnaire. Je ne bouge pas; dissimulée derrière le comptoir de la cuisinette, je suis le témoin involontaire des propositions bouleversées d'une récitante qui lit la définition du mot «ignominie».

– Sa sœur Alma a raison, les gouvernements sont ignobles. Les autorités de ce pays ne se sont pas manifestées quand

Estelle a perdu ses cheveux, quand elle a voulu se noyer dans le lac de Montebello. Il va falloir que vous entriez rapidement en scène et que vous vous opposiez au gouvernement. Il faudrait également que vous obligiez sa sœur Alma à baisser la voix et, surtout, que vous soulagiez les douleurs du petit homme mauvais pour qu'il arrête de crier. N'oubliez pas le principal: redonnez sa chambre à Estelle.

Elle a salué ses interlocuteurs d'un bref signe de tête. Je caresse ses cheveux blancs. Elle est encore pleine d'absence au cours de cette controverse qu'elle soutient avec le temps, les yeux fixés sur ces prénoms notés dans les carnets qu'elle ouvre et referme sans se lasser. Puis elle accepte de se promener dans la pièce avec moi, de toucher le berger et la bergère de porcelaine, le coffret à bijoux. «Qui êtes-vous?» J'ignore ce qu'on doit répondre à l'occupante d'une réalité différente, et qui vous demande si vous faites comme elle, la nuit, si vous sortez à l'occasion afin de rencontrer dans la rue des êtres vivants. Elle se rappelle qu'une fois, un inconnu l'a aidée à retrouver son chemin jusqu'à la maison; l'inconnu lui avait offert un cadeau, une phrase griffonnée sur un bout de papier qu'elle retire de la taie de son oreiller:

nous avançons   nous avançons
le front comme un delta.

* * *

Lorsque j'ai quitté Estelle à huit heures, j'ai songé, Melquiades, à cette phrase que te chuchotait ta mère Josépha: «Nous sommes avant tout des lecteurs.» Ma peau s'est engagée dans un témoignage qui la remodèle et la cède à Estelle et à Maurice. Est-ce une manière d'espérer que de se confondre ainsi avec deux vieillards? Est-ce que la peau n'est que cela, un espace imploré par les autres au moment où leur propre peau les réduit à n'être qu'une manière de désespérer? Sur le trottoir de la rue Laurier, j'ai redit ces vers de Gaston Miron:

> nous avançons   nous avançons
> le front comme un delta.

J'ai redit qu'il y avait autant de lumière que de périls en moi-même.

* * *

La liste compte quelques noms de plus, vendredi, le 18 mai, ceux d'enfants et de femmes assassinés dont il est question dans les journaux ramassés par Maurice dans la poubelle de l'étage, et aussi dans le journal américain. Maurice s'est procuré une dizaine de carnets par l'intermédiaire du chauffeur de taxi; j'y collige l'adresse des victimes; je dois même y indiquer leur numéro de téléphone, s'il s'agit de victimes montréalaises, après avoir vérifié dans le bottin. Nous avons été absorbés une heure par cette tâche. Ils vont se reposer tous les deux. Je lave le plancher. Estelle se lève. Maurice, un peu plus tard, se lève à son tour. De la salle de bains, il hurle: «Où t'es rendue, Estelle?» Revenu dans le salon, il s'exclame que ça fait mal, me sourit; il ne se soucie plus d'Estelle et me suggère de poursuivre sa «biographie».

Pendant des années, j'ai écouté les nouvelles de la météo; j'voulais pas découvrir sur mon passage l'épouse d'Adrien, cette tempête qui lui avait ôté la vie. Dieu m'a été d'un grand secours; il m'a évité de dépérir de chagrin. À vingt-et-un ans, j'étudiais au Conservatoire national de musique; seule l'attirance de la perfection divine motivait mes faits et gestes. À cette époque, je me suis donné soixante-dix-neuf ans pour rejoindre mon idéal, je serais centenaire comme dans le poème d'Adrien. Faut ajouter que, de vingt-et-un à vingt-sept ans, j'ai bravé l'humanité; le conservatoire manquait pas de mécréants abusant du péché d'orgueil et du péché de la chair. Moi, je résistais aux invitations de Satan; je ne m'adonnais à aucun vice, humble, chaste, réservé, totalement dévoué à la mémoire de mon frère.

La nuit, je pratiquais mon piano. Le premier concerto que j'ai composé s'intitulait «La Mort italienne»; j'avais vingt-quatre ans, et l'instant est resté gravé dans mon esprit: à la fin du concerto, j'ai aperçu Adrien; par un effet de la grâce de Dieu, il venait me signaler que j'étais sur la bonne voie.

Un de mes professeurs du conservatoire était ébloui par mon habileté à interpréter le répertoire de Chopin et de Mozart. Mon admirateur, monsieur Tanguay, m'a dit une de ces journées marquées par le sceau providentiel: "Maurice, dans le journal anglais, il y a une annonce. L'Orchestre philarmonique de New York recherche un jeune pianiste de talent. Ça serait le temps que t'ailles voir ce qui se trouve dans ton futur. M'est avis que t'es le plus grand pianiste du continent." J'avais vingt-sept ans, mes études achevaient; j'avais fait des économies en vue d'aller en Italie. Mon professeur m'a convaincu que la bonté de Dieu pouvait s'illustrer à New York autant qu'en Italie.

J'ai pas perdu mes moyens devant le directeur de l'Orchestre philarmonique de New York. J'étais beau comme un dieu, c'était presque scandaleux. Le directeur devait le penser car il m'a accueilli chaleureusement en murmurant: "Well, you're a very handsome man." J'ai interprété du Chopin, du Mozart, du Beethoven, et lui, il hochait la tête rêveusement, il était parti dans ses "Well! Great! Marvelous! Sorry, can *you play* The Moonlight Sonate?" *J'ai joué, une splendeur à entendre. J'ai toujours su que l'infinie bonté de Dieu coulait dans mes doigts. Le directeur, plongé dans la béatitude, s'est informé:* "Young man, where have you learned to play? In paradise?"

C'était vraiment le grand jour, celui qui allait me jeter dans les bras de la célébrité. Même si moi, je suis l'humilité en personne, faut ben reconnaître que l'idée m'est venue que Dieu serait honoré de me recevoir à mon dernier jour, quand j'entrerais dans sa bâtisse de félicité. Les doutes que j'avais sur la qualité d'âme du directeur se sont évaporés; il m'a engagé; j'allais commencer à répéter avec les membres de l'orchestre, le mercredi suivant.

J'étais pas loin du bonheur. J'ai visité la ville le mardi soir. J'ai passé la nuit avec un homme que j'avais connu sur la 25e Avenue, et j'ai fêté avec lui l'accomplissement des espérances de ma mère. Je l'ai aimé six heures d'affilée. Le mercredi matin, à mon arrivée dans la salle de concerts, le directeur m'a présenté aux membres de l'orchestre: "This young man is the pianist of future! Please, play for us* The Moonlight Sonate."

J'ai eu droit à un silence religieux. Cinquante paires d'yeux rivées sur moi se rendaient compte que j'étais scandaleusement beau. La seconde était d'une prospérité à renverser n'importe qui. Tout de suite après ils apprenaient par Beethoven que j'étais destiné à la gloire vu que moi, j'ai des antécédents divins: ma mère estimait que le chanoine était plus responsable de ma naissance que mon prétendu père. Les cinquante musiciens de l'Orchestre philharmonique de New York, debout, m'applaudissaient avec ferveur. Le malheur, c'est que ma satisfaction a succombé raide devant le visage d'Adrien qui, en vertu d'un miracle, s'étalait sur la face de tout le monde. Adrien me pardonnait pas ma nuit de tendresse avec l'homme de la 25e Avenue. Adrien me chantait des bêtises, y profitait d'la face de tout le monde pour proclamer que j'étais un menteur de premier acabit.

Le début de la répétition a été le prélude de ma chute. Ce que j'ai fait alors a été placé sous le signe de l'adversité. Mon génie et le chagrin d'Adrien se mêlaient tellement dans mes doigts que les notes de musique transportaient ma souffrance. L'harmonie m'avait déserté, ce qui m'a obligé à faire un tas de choses insensées. J'expliquais à l'humanité regroupée devant moi que c'était pas dans mon naturel de me tromper. Je disais que c'était pas de ma faute si l'Italie était l'endroit où mon frère avait eu dessein de mourir. L'humanité se privait pas, elle riait très fort. Je suis allé jusqu'à serrer la main de ceux qui se moquaient de moi. Je suis allé jusqu'à baiser les mains du chef d'orchestre en y garantissant d'être là, le lendemain, en possession de mon génie. J'étais là à courir comme un fou dans la salle, à me débrager dans le vif de la douleur qui avait même pas le pouvoir de s'exprimer dans sa langue d'origine.

J'ai réussi à sortir. Mon accablement m'a mené dans un bar où j'ai bu, moi qui suis un abstinent exemplaire. Un journal traînait sur le comptoir du bar. J'ai lu la notice nécrologique. Depuis ce mercredi-là, j'ai toujours eu de l'amitié pour les morts américains; y avaient la chance de fréquenter Adrien, de l'autre bord, pis peut-être, d'y apporter mes nombreux actes de contrition.

Avant de retourner à Montréal, je me suis abonné au journal américain pour soixante-treize ans; vingt minutes de déchéance justifient pas qu'on s'éloigne de l'objectif de sa vie.

Maurice s'applique à prononcer convenablement, à ne pas omettre de négations en me dictant son autobiographie; la chaleur ou la brûlure du souvenir évoqué ravive le plus souvent sa parlure habituelle. Il me sourit.

– Vous devinerez pas ce qui a poussé Adrien à se réconcilier avec moi?

– Quoi?

– Un agriculteur. Vous me trahirez pas? Là, je vas me coucher, je suis fatigué.

En pénétrant dans sa chambre, il s'écrie: «Estelle!» Il m'appelle. Je n'ignorais pas qu'Estelle s'était faufilée plus tôt dans sa chambre tandis qu'il la cherchait dans la salle de bains.

– Regardez ce qu'elle a fait, elle m'a volé mon lit!

Maurice secoue les bras d'Estelle. Celle-ci ouvre les yeux, demande où elle se trouve; elle demande encore si c'est le jour ou bien la nuit, et comment elle devra s'y prendre afin de retrouver son chemin. Pour Maurice qui comprend mal, je reprends les propos d'Estelle.

– C'est pas possible qu'elle se soit écartée! Elle est dans mon lit!

Estelle, durant un instant de distraction de Maurice, me fait un clin d'œil malicieux. Je tapote l'épaule de Maurice; il va se reposer sur le divan-lit en attendant qu'Estelle récupère ses forces et le sens de l'orientation.

Ils dorment. J'apprécie cette halte; avec mes deux vieillards, je ne sais jamais quand ce sera merveille ou désespoir. Une demi-heure plus tard, Estelle s'éveille; des réminiscences trop immenses pour ses yeux qui se plissent et se rapetissent l'égarent dans de mouvants horizons aux reliefs imprévus. Elle se redresse, se dirige vers le salon. S'assoit et chuchote que l'homme va se réveiller. En dix ans de mariage, il n'a pas ménagé les promesses d'internement. Il pense qu'elle est la fille du diable, le pianiste qui a perdu son piano et presque tous ses cheveux. En outre, il a tant de problèmes en matière de vocabulaire qu'il ne soupçonne pas qu'elle est enfermée depuis longtemps, depuis le décès d'Alberto. L'homme mauvais ne s'intéresse qu'à son Dieu, aux cotes de la Bourse et à la météo. Elle est injuste; la complète vérité, c'est qu'elle aime déjeuner avec lui et manger des biscuits Breton, elle aime lui chatouiller les pieds et le tirer du sommeil. Mais ça ne suffit pas lorsqu'un asile vous a été prédit.

Cette nuit d'automne à laquelle Estelle fait allusion doit remonter à 1980. Elle met son manteau bleu marine, frissonne, se détourne et semble écouter quelqu'un. Elle éclate de rire brusquement: «Moi, une fille du diable? Maurice, dis-moi que je suis abjecte, que je suis ignoble, dis-moi donc que je suis de l'espèce machiavélique! Si je suis possédée, Maurice, c'est par le désir d'aller à Hollywood!»

Estelle m'examine: «Qui êtes-vous? C'est la police qui vous envoie? Vous enquêtez sur le suicide de mon mari?» Elle va d'une soirée à l'autre, d'une année à l'autre, sans me quitter des yeux.

– Hier, au souper, j'ai cru que mes espoirs allaient se réaliser. Il a vite mangé ses boulettes de steak haché parce que Montréal est devenu dangereux. Puis je l'ai vu s'empiffrer de pilules, au moins deux flacons d'Attivan. J'ai cru que la mort était la voisine de Maurice quand il est parti se coucher. J'étais vraiment heureuse. Je suis allée mettre de la poudre sur mon âge. Vous ne pouvez imaginer, je me sentais rajeunir; je me suis contemplée dans le miroir; les joues poudrées et fardées, j'avais regagné l'apparence de mes vingt ans. À sept heures et demie, je me suis battue comme de coutume contre Dieu. J'ai attendu quelques heures avant d'entrer dans la chambre. Il fallait vérifier si la fatalité avait œuvré correctement. J'ai chatouillé les orteils et le crâne de Maurice. Il ne respirait plus, il s'était livré à son Dieu. J'ai téléphoné à Alma, je lui ai annoncé que la mouche était morte. Alma a beau le traiter de chenille et le détester, elle a harangué les ambulanciers qui se sont dépêchés de transporter le cadavre de Maurice. Cette nuit-là, j'ai dormi dans ma chambre.

Estelle arpente la pièce, s'arrête devant la bergère de porcelaine. Elle murmure que la travailleuse sociale est censée venir cet après-midi. Elle soupire: «Le cœur va me manquer.» La peur la fait divaguer.

* * *

Maurice, ensommeillé, n'est guère plus réjoui qu'elle lorsqu'il offre une chaise à madame Corneau. Estelle, abritée sous les draps, me demande le portrait de Krystel, le berger et la bergère de porcelaine. Madame Corneau note malencontreusement:

– Vous pourrez les apporter au manoir.

– Madame la travailleuse sociale, est-ce que je pourrai aussi apporter la liste?

– Rien ne s'y oppose.

Maurice souligne que c'est une journée mémorable.

– Estelle est enchantée même si elle le montre pas. C'est une femme réservée, Estelle. On est d'accord avec vous, madame Corneau. Le gouvernement veut seulement notre bien en essayant de rallonger notre autonomie. C'est ça qui va se produire avec le déménagement, un rallongement d'autonomie?

– Monsieur Tremblay, je vous l'ai déjà expliqué…

– C'est ben ça. Ça coûtera moins cher au manoir que dans une place privée. Tout ce que je veux, moi, c'est qu'Estelle soit entre bonnes mains, c'est qu'on nous sépare pas: elle a besoin de moi.

Estelle rejette les draps, tend un carnet d'adresses à madame Corneau. Celle-ci le feuillette silencieusement.

– Madame la travailleuse sociale, on ne peut pas apporter toute sa vie dans une chambre. Avez-vous conscience que c'est long, une vie?

Estelle sourit moqueusement:

– Vous, vous n'avez sûrement pas appris à coudre.

Madame Corneau, muette, observe Maurice qui lit les documents officiels. Elle se croise les mains, les décroise, n'ose visiblement pas dévisager Estelle qui l'interroge:

– Êtes-vous convaincue, madame la travailleuse sociale, que dans cette résidence, la liberté parvient facilement à retrouver son chemin?

– En tous les cas, madame Bilodeau, je peux vous certifier que là-bas, il y a du monde patient.

Madame Corneau s'est levée et frôle machinalement la surface légèrement poussiéreuse de la commode. Estelle rit.

– Dieu ne se gêne pas pour faire des remarques. Privé de l'usage de la parole, il est condamné à les faire en laissant ici sa mauvaise odeur et de la poussière.

Madame Corneau évite ostensiblement Estelle en se postant devant Maurice; elle articule faiblement: «Vous êtes prêt à signer?» Maurice obéit, remet ensuite les documents à sa femme. Celle-ci ajuste ses lunettes à double foyer, prétend que la pénombre assombrit ces documents et qu'elle ne signera pas aujourd'hui. Madame Corneau, après avoir remercié Maurice avec insistance, ajoute à son intention que le processus d'intégration graduelle va débuter la semaine prochaine.

– C'est quoi, l'intégration graduelle?

– Le mardi et le jeudi, vous allez dîner à la cafétéria du manoir, vous allez assister à des conférences. Votre nouvelle vie va commencer. Mardi, l'auxiliaire familiale ira avec vous. L'animateur du centre d'accueil vous fera visiter votre chambre.

Maurice sursaute.

– On va aller dehors? Voyons, c'est la guerre, dehors! J'peux pas permettre qu'Estelle soit exposée au péril! Vous avez le courage d'affronter la guerre, vous êtes jeune. On n'a plus les réserves de savoir et d'endurance que vous avez, les jeunes!

– Les rues de Montréal sont tranquilles, monsieur Tremblay. Mardi, le 22 mai, rendez-vous au manoir à onze heures.

Madame Corneau partie, Estelle conclut:

– Tu vois, Maurice, la travailleuse sociale a des agissements d'héritière, elle te laisse tomber.

Je récite une dizaine de chapelet, agenouillée à côté de Maurice. Il tremble, persuadé que Dieu l'a abandonné.

De cette femme et de cet homme qui se sont endormis, que dirai-je lorsqu'ils habiteront au manoir? Je dirai probablement qu'ils sont fragiles comme des bibelots de porcelaine, je dirai qu'exister s'écrit sur leurs visages avec des veines éclatées, je dirai que je les ai connus alors qu'ils erraient dans leurs corps comme dans un royaume dérisoire, un royaume d'où ils étaient arrachés par moments.

– Avez-vous cassé une tasse?

Je rassure Estelle. Maurice nous rejoint.

– Est-ce que j'ai l'air de mon âge?

– Avez-vous appelé l'épicier pour la commande?

– Pourriez-vous me couper les cheveux?

– Allez-vous téléphoner au pharmacien et faire renouveler ma prescription?

Il y a sur leurs lèvres cette litanie d'amour et d'agonie, cette accumulation de questions auxquelles il importe peu de répondre clairement puisqu'elles sont vouées à réclamer de la chaleur. Je me réfugie dans la salle de bains: mon cœur, acculé à trop exiger l'impossible pour deux vieillards qui défient l'exiguïté de l'espace et du temps, se désiste, bat à tout rompre.

Dans le miroir de la salle de bains, j'examine cette inconnue en face de moi. Elle a une tête à oublier, à disperser ces liens qui, sur les cartes géographiques, relient toujours l'Anse-St-Jean, Montréal et Sept-Îles. L'inconnue du miroir avoue que les autres se sont déjà présentés à elle qui, par intermittence, se cache dans sa tête machinant l'oubli. Revenue dans le salon, j'écoute Estelle; elle veut absolument son écharpe mauve. Chaque jour, elle égare quelque chose et son souffle court d'immenses risques à ainsi se mesurer à la fuite des choses, à la fuite des autres.

Puis assise entre Maurice et Estelle qui, chacun, se sont emparé d'une de mes mains, je fixe l'écran du téléviseur. Un chien vagabond entre dans leur royaume. Je me tais en connaissance de cause; toi, Melquiades, tu vas bientôt crever comme un chien.

Ce soir, Melquiades, je relate ces péripéties du désarroi d'Estelle, de Maurice, au nom de l'inconnue du miroir. À défaut de ces liens sur les cartes géographiques, je te marque de mots, j'imagine ton corps sortant de la bouche de deux vieillards.

* * *

77

Ce mardi 22 mai, Maurice avale six vitamines d'affilée. Dieu, dans son infinie bonté, va rallonger le degré d'autonomie mis à sa disposition mais, continue Maurice: «C'est ben de bonne heure pour pénétrer dans l'intimité d'une foule d'étrangers, peut-être une quarantaine en une seule et même journée.» Ça fait longtemps que ça ne lui est pas arrivé. Estelle ne pourra pas supporter ça. L'infirmière du CLSC, si je lui téléphone, conviendra que demain serait un jour agréé par la Providence et par le soleil.

— Maurice, intervient Estelle, c'est toi qui as signé. Rends-toi au bout de tes actes; aujourd'hui ou demain, tu vas devoir la rencontrer, ta voisine.

Estelle fait parfois allusion à cette voisine, la mort. Vêtue de sa robe verte, celle de Cary Grant, elle a posé sur ses cheveux blancs et clairsemés sa perruque la plus luxueuse; elle s'est aussi fardée, a rougi ses lèvres. Le sort inéluctable ne triomphera pas au détriment de sa distinction. Maurice s'accroupit, lace ses souliers.

— Où tu les a pris, ces souliers-là? Tu flottes dedans.

— Dans la poubelle de l'étage.

— T'aurais dû magasiner plus soigneusement. Tu feras aucun effet avec des souliers semblables!

— Toi, Estelle, t'es belle pas ordinaire!

* * *

Les moqueries des passants à propos des souliers de Maurice et de cette voilette choisie par Estelle, afin d'ajouter une touche d'honorabilité à sa toilette, les obligent à incliner davantage la tête. «Un trottoir désespérant, un trottoir comme on n'en voit plus à la télévision», chuchote Maurice. Il serre la main d'Estelle, relève la tête et chuchote encore que les annonceurs n'ont pas pu se tromper et que les hostilités doivent se dérouler près du fleuve St-Laurent, un endroit stratégique. Je les suis, légèrement en retrait, à quelques pas derrière eux. Nous marchons très lentement, nous craignons cette résidence qui se dresse brusquement devant nous, pareille à la fin du monde. Je pousse la porte pendant qu'Estelle prie Maurice de se redresser. La guerre, la vraie, va commencer.

L'animateur, Marcel Gagnon, nous a repérés. Il appelle Maurice et Estelle «cher monsieur», «chère madame»; cinq minutes ont suffi pour qu'il ose dire «Maurice», «Estelle». Celle-ci murmure: «L'animal, vous avez remarqué à quel point il est décoiffé, et la couleur de sa chemise ne s'accorde pas avec celle de son pantalon.»

L'animateur demande à Estelle: «Quel âge avez-vous?» Il demande à Maurice: «Avez-vous mal aux jambes, cher Maurice?» Estelle rétorque que Maurice est un pianiste talentueux et que son nom, c'est monsieur Tremblay pour les citoyens polis. Elle désire neutraliser l'agitation et la familiarité de l'homme en demandant à son tour: «Monsieur Gagnon, où y a-t-il un abreuvoir?» Cette formule qu'Estelle croyait anodine déclenche une série d'actions imprévues; l'animateur nous conduit vers l'ascenseur, nous emmène au troisième étage où se trouvent un abreuvoir et les chambres des pensionnaires. Alors que l'animateur nous guide à travers des couloirs uniformément blancs, Maurice crie que c'est vraiment très beau, le manoir, que c'est vraiment très accueillant. À monsieur Gagnon qui s'enquiert: «Chère Estelle, avez-vous hâte de voir votre chambre?», celle-ci jette un coup d'œil glacial; elle déboutonne son manteau et le laisse en huis clos avec sa question. Nous visitons d'abord un salon communautaire. Maurice s'exclame: «C'est beau, c'est vraiment très beau,

on s'imaginait pas, moi et Estelle, que ça serait si, si, si...»
Estelle achève sa phrase, «si multicolore».

— Voilà votre chambre!
— Celle que nous allons habiter?
— Elle est identique à celle que vous aurez.

Que signifie la distinction quand on ouvre la porte de la dernière chambre? Estelle échappe le portrait de Krystel qu'elle avait glissé dans la poche de son manteau; elle a peine à respirer. L'animateur lui saisit la main et s'évertue à la mettre à l'aise, ainsi qu'il l'affirme. Elle dégage sa main, touche le demi-lit et la commode; elle mesure la largeur de la garde-robe. Le frémissement qui la parcourt parle pour elle. Ici, c'est beaucoup trop petit. Tous ses objets, toutes ses revues de mots croisés, toutes ses robes, tous les journaux conservés dans l'appartement de la rue Laurier n'auront pas leur place ici. Il n'y aura de la place que pour les infirmes du siècle. Elle ramasse le portrait de Krystel et ferme les yeux afin d'ignorer que Maurice se penche, relace ses souliers. Ses jambes oscillent. Je m'approche d'elle qui s'appuie sur moi. Maurice rit, et ce rire n'est qu'un masque bruyant recouvrant son découragement, il s'écrie: «C'est beau, j'ai jamais rien vu d'aussi beau!»

Ils ont dû se comporter en combattants désarmés et accompagner l'animateur jusqu'à la cafétéria où ils se sont piqué les joues avec une fourchette, avalant péniblement un morceau de gâteau. Monsieur Gagnon s'est empressé d'apporter une serviette de table à Estelle qui avait négligé d'en prendre une.

* * *

Sitôt revenus à leur appartement, Maurice et Estelle se sont couchés. Moi, je deviens cette vieille femme, ce vieil homme dont la détresse impuissante demeure éveillée. Les regards, dépassé un certain stade de la tendresse, compromettent l'être en entier; le désarroi, la coquetterie, la souffrance que je lis souvent sur leurs visages se répètent sur le mien, coulent dans mes veines, conquièrent mon corps, défont les frêles habitudes de m'appartenir que je pensais miennes. La voix d'Estelle me déporte vers ce qu'elle est, au dehors de moi: «Est-ce la nuit? Demain, est-ce qu'on va rester ici?»

Elle fixe ses pouces dont elle dit que ce sont de gros doigts.

— Est-ce qu'il va se représenter, le mot qui manque? Avant, je les appelais autrement.

J'écris le mot oublié sur une feuille. Elle le prononce lentement, le redit. Elle se lève et contrôle fébrilement l'identité des choses qui l'entourent. Elle palpe la robe de Cary Grant, celle de Gary Cooper, le portrait de Krystel. Cette bataille menée contre l'anonymat avec des balbutiements, avec des noms de vedettes, me fait trembler cependant qu'Estelle me sourit et déduit: «Je suis pas encore greyée pour l'asile.» Elle m'entretient ensuite longuement d'Alberto, l'homme aux méléagrines.

* * *

— Monsieur Tremblay, nous pourrions faire quelques pas à l'extérieur, dans la rue.

— Sortir par un froid de Sibérie, y en est pas question. Où est Estelle?

— Partie chez le médecin avec Alma. C'est le 25 mai. Elle avait rendez-vous avec le cardiologue.

Il fait chaud dans la chambre de Maurice dont le décor semble avoir été conçu à l'intention d'Adrien. La commode et la table de chevet en mélamine, la valise posée près de la garde-robe évoquent des bancs de neige se découpant sur le noir des six chaises et du couvre-lit.

– Dans trois mois, on va être au manoir. C'est pour Estelle que le CLSC organise ça. Elle n'a plus toute sa tête. Quelle heure il est?

– Une heure trente.

– Ben, ce serait une bonne heure pour ma biographie.

Maurice me demande si cette proposition d'une gentillesse surprenante, celle de transcrire sa biographie, mérite toujours mon assentiment, en soulignant qu'Estelle a discuté hier avec lui de son terrible assentiment à la fatalité qui les écrase. Allongé sur le demi-lit, il m'écoute lire les derniers paragraphes du manuscrit puis dicte:

L'égoïsme de l'Orchestre philarmonique de New York m'a ramené à Montréal. Le soir, je jouais du piano dans un bar, c'était mon gagne-pain. Le degré de concupiscence et d'intempérance de mes concitoyens me gênait; moi, je devais faire la preuve, à l'exemple de Loth, le seul homme juste de Sodome et de Ghomorre, que la pureté ne perd pas ses droits dans la capitale de la luxure. Monsieur Tanguay, mon ancien professeur, n'admettait pas que mon talent s'use dans des boîtes de nuit. Mais le courage, c'est comme la beauté, ça me connaît.

J'avais trente-quatre ans quand mes sacrifices ont porté fruit. Grâce à ma rencontre avec l'agriculteur de la Mauricie, j'ai arrêté d'expier les erreurs de tous les Montréalais. Le 15 mai 1932, je me promenais dans les champs avant d'accompagner un violoneux pour les noces d'une cousine. Les voies de Dieu se sont manifestées dans la personne d'un vieux qui me barrait le chemin et qui m'avertissait de l'abondance de nids d'abeilles dans les parages. Le vieux m'a reconnu immédiatement comme un de ses pareils, un amoureux affecté dans ce qu'il a de plus cher. Il avait un secret qu'il était prêt à partager avec moi: les morts ont plus de suite dans les idées que les vivants, ce sont des estineux qui attendent après les vivants afin de revenir en vie. Le décès de sa femme l'avait plongé dans l'affliction, il y avait de ça dix ans. Alors, il s'était mis en peine de pratiquer les principes de l'agriculture dans ses songeries les plus intimes. Il faisait, chaque matin, la culture de la présence de sa femme. Sans vouloir insulter le Créateur, il avait logé sa confiance dans l'heure de la rosée dont il profitait pour rassembler les anciennes propriétés de sa femme, des robes, des parfums, sa sacoche. La terre se laisse impressionner si on lui laboure le cœur avec un râteau ou une charrue. Lui, il labourait le cœur de sa femme avec les mots les plus doux puis il s'élançait vers elle comme s'il était jouqué sur un cheval, il l'appelait plusieurs fois, à côté de la clôture de ses féminines possessions. Son épouse reprenait apparence humaine.

À Montréal, dans la solitude de ma chambre, j'ai vérifié les pouvoirs de l'agriculture. Et le miracle a eu lieu, Adrien s'est révélé, désireux de me suivre plus que jamais. J'étais son tendre amant malgré que sa chair, comme la rosée, filait entre mes doigts. Même dans les bars il m'apportait ses prodigieux encouragements. À la longue, je me suis mis à lui refiler des suggestions.

Et ce qu'y a d'estineux chez les morts s'est déclaré avec allégresse au mois de janvier 1935. Moi, à l'heure de la rosée, le 15 janvier, je jasais de Berlin avec Adrien, et l'après-midi, j'ai découvert une annonce dans le journal américain: l'Orchestre philarmonique de Berlin cherchait un pianiste talentueux.

Quand un homme vous adore au point qu'il se moque de la mort, chaque matin, et qu'en plus, il se sert de ses relations avec la Providence pour vous garantir une renommée internationale, c'est la moindre des choses que d'y montrer une gratitude proportionnelle à la faveur accordée. La météo prévoyait une grosse tempête, le 16 janvier. Je me suis rendu avec Adrien sur le mont Royal. Y était si pressé de se marier avec une tempête qu'y me suppliait de courir plus vite. En 1935, Adrien avait plus de notions sur le paradis qu'autrefois; une trâlée d'anges chantaient avec la voix du vent, qu'il disait, et nous amenaient direct dans le sexe de Dieu qui était de toute beauté, d'la neige poudrant du ciel. Adrien me recommandait de ne pas avoir peur des œuvres de Dieu, il était sûr que Dieu me voulait corps et âme. Moi, je me sentais humble devant la splendeur du Grand Artisan. J'ai accepté l'honneur que Dieu me faisait; je me suis déshabillé et je me suis roulé dans son blanc plaisir. Mon sexe se dressait fièrement et accomplissait la volonté du Seigneur qui lâchait des cris de félicité. Je râlais, je gémissais, tellement mélangé à l'extase divine que le chœur des anges opérait dans ma poitrine. Dieu, ébranlé dans ses tréfonds, était couché dans mon être, débordant d'amour pour moi, et j'ai même cru entendre les trompettes de Jéricho, et j'ai su que, dans son éternité, il s'occuperait à me combler de gloire. Dieu a peut-être pas de belles manières quand il nage dans la félicité, je l'ai appris d'expérience, mais ses hurlements de bonheur vous mettent en contact avec la confrérie de tous les saints. Ils étaient tous là, saint Jude, saint Luc, saint Paul et leurs frères religieux, fidèles au rendez-vous que m'avait fixé le Grand Artisan. Je me suis rhabillé sur le conseil d'Adrien. Y fallait que je me conserve intact pour le voyage à Berlin, même si les œuvres de Dieu s'étaient entichées de moi.

La sonnerie de l'entrée a interrompu Maurice qui a camouflé sa «biographie» sous le sommier de son lit.

– Pauvre Estelle, son cœur est trop faible pour que son idée puisse se tenir ben drette. Refermez la porte, j'sus pas intéressé par les calomnies d'Alma.

Mon cher Maurice a souri une seconde en me parlant du caleçon mauve que j'aurais volé; cela va rester entre nous puisque je me dévoue discrètement dans l'écriture de ses sentiments et de sa vie.

Alma me raconte qu'elle envoie au gouvernement des lettres de bêtises et que le gouvernement, en hypocrite, l'arrose de formules de politesse. Estelle a enfilé une jaquette et se glisse sous les draps.

– Le médecin est menteur comme le gouvernement, il a fait accroire à Estelle qu'elle va bien. Bonjour, j'vas chez mon chiro.

Estelle s'est endormie rapidement. Maurice ronfle. Je balaie, j'époussette avec cette impression qu'ils continuent à bavarder, à rêver et à feuilleter des carnets d'adresses au-dedans de moi. Estelle chuchote:«J'ai eu un accident», en tentant de dissimuler le cercle jaune sur sa jaquette. Moi aussi, je fermerais les yeux si une étrangère nettoyait mes fesses et disposait ensuite autour de mes cuisses une couche jetable rabattue sur mon ventre. J'irais m'asseoir et, moi aussi, je ferais semblant de réfléchir; ma main tremblerait probablement sur la table. Je garderais les yeux fermés ainsi qu'Estelle murmurant «Est-ce la nuit?». Je m'efforcerais soudain de rire, je redresserais dignement la tête, je contrôlerais, moi aussi, le tremblement de ma main afin de persuader mon interlocutrice que, jadis, ce n'était pas comme ça. Estelle explique:

– Vous savez, à vingt ans, je n'avais pas mon pareil quand il s'agissait de respecter les convenances. D'ailleurs, ça me créait des problèmes: avec ces précautions que j'adoptais pour avoir l'air honorable, j'ai failli devenir une véritable encyclopédie de surnoms. On m'appelait Greta Garbo, Joan Harlow, et, plus tard, Lady Simpson, Grace Kelly... On me prenait toujours pour une autre. La faute en revenait à mon souci de l'élégance. Je donnais toujours la réponse qu'on attendait. Maintenant, mon corps ne veut plus donner les bonnes réponses, je suis déshonorée. Mais, Josée, c'est encore plus éprouvant, le déshonneur, quand il s'attaque aux professeurs de belles manières. Moi, j'ai tout appris à Maurice. Il disait à ses héritières qu'il était le plus beau, le plus chaste, le plus indulgent des hommes, il leur disait qu'il avait renoncé à une carrière internationale afin de secourir les affligés. Ce n'était pas un refrain adapté à la séduction des riches héritières. Je l'ai aidé à exprimer ses ardeurs avec déférence et humilité. Il retombe souvent dans son ignorance; j'attire son attention sur des articles de journaux que j'ai découpés. Le lendemain, Maurice s'attribue le mérite d'avoir repéré lui-même ces articles.

Estelle se tait. Puis elle m'observe, m'interpelle:

– Pensez-vous que l'avenir a encore un visage?

Elle sourit. Dans le temps, en 1928, l'avenir avait le visage d'Alberto.

«À quatre-vingt-deux ans, on comprend plus aisément le nœud des vieilles histoires d'amour. Alberto avait saisi trop tôt la nature des liens entre les humains et la terre; la terre ne fait que se répéter au-dedans de nous. Pendant que j'avais des problèmes avec l'élégance, lui, il en avait avec le présent. Il s'appliquait à le modifier, à le romancer. Le désagrément du romantisme, c'était sa bizarre proposition qu'on meure ensemble, le soir de nos noces. J'ai accepté. Je n'aurais pas pu l'empêcher de se rendre au bout de ses actes et de ses convictions. En plus, le printemps 1928 s'adonnait bien avec les goûts romantiques d'Alberto. Dès le 18 avril, les pissenlits avaient pris le dessus sur les odeurs de l'hiver. Il faisait si chaud que les vieux prétendaient que l'ordre des saisons en serait déplacé et que les sauterelles arriveraient par mannes du ciel. Les vieux n'avaient pas eu le présage que c'était un avril à brailler d'émotion dans un hangar où le chant des hirondelles nous berçait, Alberto et moi. Vous savez, la noirceur venue, on se cachait dans un hangar. Au commencement, on ne faisait que s'allonger sur la paille et se tenir la main; ça me remuait le cœur, ça me remuait les entrailles. Il y avait une lumière très douce qui tombait drue dans mon corps, qui bardassait mon être jusqu'à ce que je me mette à flamber comme un été chaviré. C'est sûr, la chair n'avait alors plus de rapports avec les discours d'Alberto; elle se débrageait dans le fin fond de nos mains, de nos jambes. Puis ça n'a plus été possible de demeurer tranquille dans la lumière trop demandante: on s'est compromis à grandeur de corps, on s'est livrés complètement l'un à l'autre. Le plus beau soir de ma vie. Je n'en énoncerai pas les détails, ça pourrait éventrer la majesté du souvenir. Le soleil déferlait dans nos profondeurs. Les soirées suivantes, Alberto et moi, on s'est retrouvés dans le hangar avec des gestes d'une délicatesse, d'une lenteur à caresser les montagnes qui passaient dans nos yeux. Alberto souriait après, il disait après: «On vient de déchirer la nuit des danseurs.» Car lui, mon Alberto, se torturait l'âme avec des questions, surtout celle-ci: les hommes ne sont-ils que des danseurs solitaires, se vêtant de leurs rêves comme d'une larme?»

Estelle effleure le prénom de son amant inscrit dans un carnet d'adresses. Elle baisse la voix:

— L'été s'était pris d'avance pour venir nous voir, une

chance. Le 3 mai nous a dépouillés de nos espérances. Couchez-vous près de moi; la mort d'Alberto, j'ai jamais pu la mettre en mots. C'est effrayant, cette blessure qu'elle a creusée dans ma mémoire.

J'écoute Estelle qui étreint ma main droite à m'en faire mal.

– On était censés mourir ensemble. Le soir du 28 mai, c'était entendu qu'on s'offrirait en spectacle à la liberté: on partirait en canot sur la baie; Alberto porterait son habit de noces, et moi, la longue robe blanche que j'aurais cousue. La mer nous cueillerait enlacés, elle nous amènerait sur un rivage inconnu. Tout ça sortait de l'imagination d'Alberto. Mais rien de tout ça ne s'est réalisé.

Estelle veut que j'allume la lumière dans la cuisinette. Je vais également vérifier si les fils monstrueux de Dieu, toujours désireux de lui voler ses secrets, circulent dans le couloir.

– Le 3 mai 1928, à deux heures de l'après-midi, j'étais en train de nettoyer les nappes à l'*Hôtel King*, quand mon cousin Augustin est entré dans la salle à dîner. Il s'est approché de moi en murmurant «Ma douce Estelle». Il m'a suppliée de faire face au malheur sans broncher tandis que je ne savais pas encore le nom de mon malheur. Puis je l'ai su. Une machine du moulin à scie où travaillait Alberto avait mal fonctionné, Alberto avait été tué. J'étais certaine que les murs de l'hôtel allaient s'écrouler sur moi. J'étais certaine que ma vie était finie. J'étais certaine que la douleur allait me couper le souffle. Elle était plus forte que moi, la douleur, elle m'abandonnait dans le vide où flottait l'image d'un homme s'élançant comme un oiseau blanc sur la patinoire de Bonaventure. Quelqu'un s'est mis à pleurer, ça venait de moi et ce n'était pas moi, quelqu'un a crié: «Non, ça se peut pas!»

Estelle s'arme du portrait de Krystel et poursuit:

– Ce quelqu'un a couru, désâmé, en direction de la scierie située à un demi-mille de l'hôtel. C'était la bête noire, avec ses griffes, avec son cœur tout croche, qui refusait de me laisser seule avec un chagrin gigantesque. Il paraît qu'Augustin courait derrière moi. Il paraît que j'insultais Dieu. Ce que j'ai alors éprouvé se résume à des «Il paraît»; il ne restait de moi qu'une menteuse apparence d'être. Les ouvriers forestiers avaient transporté le cadavre d'Alberto près d'un escalier. En apercevant une forme dissimulée sous une couverture, la bête a hurlé «Alberto!». Il paraît que j'ai enlevé la couverture, que je me suis étendue sur l'homme qui avait eu la tête tranchée et que je lui ai parlé d'amour et d'avril. J'ai ensuite demandé aux autres: «Où avez-vous mis son visage?» Les autres se taisaient. Une serviette imbibée de sang entourait ce qui, dans le brouillard des larmes, ressemblait à une boule. J'ai pris cela, la tête d'Alberto, je l'ai serrée contre ma poitrine, et il paraît qu'on a tenté de me l'ôter, que je me suis enfuie avec mon trésor dans le boisé derrière la scierie. Combien de temps s'est écoulé avant que je reprenne conscience de moi dans le boisé? Peut-être quelques secondes, peut-être des heures. Il n'y avait pas de parure à ma désespérance. Je claquais des dents, la morve me coulait du nez, j'avais les yeux absorbés par le rouge qui se trouve dans toute désespérance. Assise sur l'herbe, je regardais fixement une tasse, oubliée là sans doute par un ouvrier, et je me disais: «Qu'est-ce que cette tasse fait ici?» Un des ouvriers avait dû luncher dans le boisé aux environs de midi. Je me disais qu'un poignard me traversait le cœur, ou bien qu'une roche bloquée dans ma gorge lâchait des cris puisés dans une matière volcanique, je me disais des choses qui saignaient dans ma pensée. J'ai longtemps bercé la tête d'Alberto. Je me suis fait croire que je l'aidais à boire sa vie en collant la tasse près de ses lèvres. Finalement, j'ai fait la révérence avec lui une dernière fois; il n'aurait pas voulu quitter impoliment la vie. Des ouvriers m'ont arraché la tête d'Alberto; je suis repartie chez moi.

Estelle tremble et chuchote: «Je vais encore avoir un accident.» Je la conduis à la salle de bains où elle se met à vomir.

J'ai lavé de nouveau ses cuisses, son pubis, et sa honte s'est affichée de nouveau devant cette couche jetable avec laquelle j'allais couvrir ses fesses. La fierté ne lui est revenue qu'au moment de se battre contre Dieu, cet animal qui n'a pas le sens des limites et qui lui a extorqé ces bonnes réponses que son corps avait réussi à donner au monde, jusqu'à hier.

Ce 25 mai, avant mon départ, pour des motifs de respectabilité, Estelle s'est informée de mon chat. Était-il inquiet? Elle avait une alliée et, pourtant, a-t-elle ajouté, «ça ne déloge pas l'inquiétude». Sa maison, c'est plus souvent l'inquiétude que le salon.

– Vous allez venir demain?

– Oui.

– Vous allez toujours m'escorter malgré les orages et les éclairs? Embrassez-moi.

Elle a touché mon visage, cette excroissance d'une mémoire déportée à Sept-Îles.

CHAPITRE 5

Maurice, vêtu de son habit gris, m'invite à m'asseoir. Le soleil se déverse dans la pièce par la porte-fenêtre exceptionnellement entrouverte. Estelle, maquillée, désigne sa robe mauve et ornée de cent camélias qu'elle a jadis brodés elle-même: «C'est la robe de Gary Cooper.» Un livreur vient de se présenter avec des fleurs qu'Estelle me remet. Sur la carte épinglée à l'emballage, je lis «Nous vous aimons».

Maurice répète «Nous sommes heureux» pendant qu'Estelle sert de la crème glacée dans trois coupes. Elle revient ensuite avec des verres de vin. Je m'interroge sur cette coutellerie neuve en argent, sur ce minuscule sapin posé sur le comptoir de la cuisinette; ses branches sont surchargées de glaçons et de boules multicolores. Les démêlés de Maurice et d'Estelle avec le temps occasionnent parfois de grands dérangements; désarçonnée par ce décor, je me contente de quelques onomatopées, je me contente de peu de gestes, ne sachant ce que me réserve ce lundi 4 juin.

Ils boivent une gorgée de vin en contemplant orgueilleusement le sapin. Puis ils m'offrent une montre, apparemment plongés dans le ravissement le plus total en raison d'un anniversaire dont ils paraissent avoir minutieusement prémédité chaque détail, à l'aide d'un catalogue et d'un chauffeur de taxi. La montre, proclame Maurice, a été choisie par celui-ci dans une boutique de la rue St-Denis.

– Une montre italienne! s'exclame-t-il.

Ils me sourient tendrement et redisent «Nous sommes heureux». Estelle m'explique que la broche agrafée à sa robe, un cygne ciselé dans de l'or, est l'une de ces marques d'affection que lui prodiguait Grace Kelly, il y a des années. Je note que les rares cheveux de Maurice sont frisés.

– Êtes-vous allé chez le coiffeur?

– Estelle va tellement bien qu'elle a pas vu de monstres depuis une semaine! crie Maurice.

Estelle l'approuve. Ça va si bien que, maintenant, ils entretiennent des espérances. Le motif de la fête tient en treize syllabes articulées rapidement par Maurice: «Voulez-vous rester avec nous, vivre avec nous?»

Leurs yeux trahissent actuellement cette immense peur de déménager. Maurice n'a signé les documents du CLSC que parce qu'il a cru momentanément à une manifestation de la bonté divine. Ils me sourient toujours avec naïveté. Je pense qu'ils ont consacré une semaine entière à acheter du futur dans un catalogue, je pense à ce métier que pratiquent les bourreaux. Tant que je demeurerai silencieuse, ils continueront ce rêve d'un après-midi baignant dans la lumière de juin. Maurice s'est levé afin de déposer devant moi, sur la table, le minuscule sapin.

– Il est beau, hein? C'est comme si c'était Noël, hein? Estelle, tu te rappelles quand je m'étais installé au piano pis que j'avais joué «Minuit, chrétiens» en plein mois de juillet?

Le père d'Albert Camus avait vomi après avoir assisté à une exécution. Il y a toutes sortes d'exécutions, de pendaisons, de souffrances capitales. Je bafouille:

– Je ne peux pas. J'ai des amis que je reçois chez moi.

Je veille tard. La nuit, j'écris; je troublerais votre sommeil.

Estelle ramasse machinalement des miettes de biscuits Breton sur la table. Maurice se dirige vers sa chambre en me demandant: «Où j'en étais rendu dans ma biographie?» Il hausse les épaules: «C'est fini, j'ajouterai pas une virgule à ma biographie.»

Estelle a jeté le sapin dans un sac à vidanges. Elle a fermé la porte-fenêtre, tiré les rideaux. J'ai appris que le journal new-yorkais auquel Maurice est abonné se trouvait à l'origine du cérémonial avorté; Estelle, allongée sur le divan-lit, a murmuré: «Dire qu'on a imaginé que ça se passerait comme dans le journal!»

À New York, deux septuagénaires avaient adopté légalement à l'époque de Noël, l'an dernier, une jeune femme noire qui s'occupait d'eux depuis plusieurs mois, préparait leurs repas, lavait leurs vêtements. Je relis cette phrase attribuée par un journaliste aux vieillards: «Now we are happy, we are living with our girl.»

Estelle et Maurice qui m'ont assuré plusieurs fois qu'ils étaient heureux n'ont pas pu conclure que désormais ils vivraient avec leur fille.

Ils se sont endormis tous les deux. À leur réveil, ils ont fait semblant que je n'existais pas. Assis sur le rebord du divan-lit, l'un près de l'autre, ils regardaient les images de cette guerre qui défilaient sur l'écran du téléviseur. Alexy et Krystel s'exprimaient en anglais. Un instant, ils avaient craint de les avoir perdues; la programmation estivale des canaux de télévision n'avait pas éliminé l'émission «Dynastie», rediffusée à la même heure par un poste anglophone.

* * *

L'intégration graduelle au manoir, ce sont des mots de travailleuse sociale dépourvue de délicatesse et de logique. À quoi bon dîner au manoir, suivre des conférences quand, ici, ils disposent de tout ce dont ils ont besoin? Estelle me prend à témoin de l'inanité de cette journée du 5 juin. Je suis arrivée plus tôt afin de les aider à se vêtir. Dans quelques minutes un autobus viendra les chercher. Je ne suis que l'employée d'une agence privée qui loue les services de son personnel à des CLSC et je ne fais qu'appliquer les consignes qui me sont acheminées. Cela, je le tais pour ne pas augmenter leur méprise; et je me tais encore lorsqu'Estelle referme la porte en disant «Salut, tandis qu'on se reconnaît!».

En leur absence, je remplis des sacs noirs d'ampoules, de boîtes de cure-dents, de clous et de tubes de pâte dentifrice entreposés en énorme quantité dans les armoires. Dans la mort prévue à leur intention, il ne restera que le nécessaire. L'exiguïté des chambres du manoir m'oblige à leur voler une partie de leur vie et à l'enfouir sournoisement dans ces sacs en plastique, ainsi que me l'a ordonné madame Corneau.

Revenus à pied aussitôt après le dîner, Estelle et Maurice me surprennent dans cette entreprise; Estelle touche l'un des sacs.

– Qu'est-ce que vous faites?

– Je jette le superflu.

– C'est quoi, du superflu?

Estelle connaît bien la définition du dictionnaire, mais pas celle du CLSC. J'énumère par le menu détail le contenu des sacs. Elle refuse d'écouter et apporte huit carnets d'adresses à Maurice.

Il est sans doute question de survivre dans cette conversation insolite, autour d'une table, sur des êtres dont le nom et le numéro de téléphone raturés figurent dans les six premiers carnets. Maurice et Estelle ressassent les circonstances du décès du violoniste, de celui de la mère d'Estelle et de nombreux parents. Leurs visages deviennent d'une douceur déchirante, à la fin de cette compilation. Ils m'invitent ensuite à me joindre à eux. Je découpe des articles et des photographies dans *Allô Police* et *Le Journal de Montréal*; la liste doit être mise à jour quotidiennement. Estelle se charge de la lecture de l'apocalypse des étrangers. Elle en discute avec Maurice, prenant soin de préciser la couleur des yeux et des cheveux des femmes et des hommes assassinés. J'indique leur nom et, éventuellement, leur adresse, leur numéro de téléphone dans un carnet neuf. Articles et photographies s'empilent sur la commode d'Estelle depuis le début du mois de mai.

Chaque fois que nous convions l'horreur, car ça ne peut s'appeler autrement même si Maurice ose parfois s'écrier «C'est le paradis!», je me retrouve en face d'eux, de cette douceur têtue sur leurs visages et, très probablement, du plaisir qu'ils éprouvent devant cette confirmation livrée par les journaux: jusqu'à cette heure-ci, ils ont échappé aux griffes de leur voisine. Leur peau n'est muette qu'en apparence lorsqu'eux-mêmes retournent enfin au silence; des ombres soufflent derrière cette peau que ça va mal et que ça n'a pas de cœur, un CLSC, que ça n'a pas de sens, déménager. Je ne peux l'ignorer; je leur cède mon corps, je me démène parmi leurs ombres, les aimant jusqu'à la confusion.

Lassés d'avoir tant travaillé, comme ils l'avouent, ils décident d'aller dormir. Je dois réciter une dizaine de chapelet avec Maurice, je dois aussi tenir auparavant la main d'Estelle, convaincue que les choses se mettent subitement à grandir. Elle dégage sa main de la mienne, pointe du doigt le berger et la bergère de porcelaine qui atteindraient des dimensions humaines. Les choses nous apparaissent plus audacieuses dans leur forme et leur grandeur dès que le désespoir se love, croît en nous et va nous diminuant à ce point qu'il nous donne presque la taille d'un enfant. L'expliquer n'apaiserait pas Estelle qui a repris ma main.

Heureusement, elle s'est assoupie et m'a laissée seule avec cette peur que j'ai de la tuer, avec cette peur de penser que la simple pression d'un oreiller sur sa bouche l'enverrait vite du côté du patineur. Je ne bouge pas. J'ai peur de bouger, de me rendre dans la chambre de Maurice.

* * *

Ils ont soupé plus tard qu'à l'habitude. À six heures trente, Maurice a regagné sa chambre. Estelle retirait des photographies de sa taie d'oreiller; elle me tendait chacune d'elles en souriant.

– Lui, c'est Cary Grant, le plus charmant des hommes. Lui, c'est Gary Cooper. J'ai serré la main de Bob Hope. Et lui, vous savez, c'est John Waine. Je les ai tous côtoyés; le *Seignory Club* n'accueillait que des célébrités. Elle, c'est la plus réservée et la plus honnête des femmes, madame Grace Kelly. Je ne me présenterai pas devant Dieu avec n'importe qui. Ils ont signé de leur propre main la photographie qu'ils m'offraient. On ne signe pas de tels documents à la légère. Chacun d'eux m'a promis qu'il ne m'oublierait jamais. Ce sont mes confidents, des gens équitables, honorables et distingués, toujours prêts à intervenir en ma faveur. Dieu n'aura sûrement pas le dernier mot avec eux qui sont familiers avec les artifices du cinéma. Dieu essaie de faire du cinéma. Ça ne marchera pas avec moi. Mes confidents m'assistent dans le combat que je mène contre lui.

En lançant de l'eau sur le calendrier de 1928, à sept heures trente, Estelle se croyait entourée de personnes célèbres et équitables. Puis elle m'a demandé: «Je ne suis pas folle, n'est-ce pas?» Elle a remis les photographies dans la taie de l'oreiller sur lequel elle a posé sa tête, en me demandant encore: «Avez-vous contracté des alliances avec des habitants de l'autre monde?» Il était huit heures; j'étais contente de partir sans avoir tué Estelle et Maurice.

* * *

Maurice m'aborde en brandissant *La Presse*. Un vieillard a été agressé hier, le 12 juin, dans la rue St-Denis.

– La rue St-Denis est plus fréquentable, c'est marqué en toutes lettres! Les rues de Montréal sont assiégées par des bandits! Je mettrai plus les pieds dehors! Je retourne dans ma chambre où, au moins, j'suis en sécurité.

Estelle ne me reconnaît pas. Elle ne veut pas être impolie, elle désire uniquement se renseigner: est-ce que j'ai vu Alberto? Dans un discours décousu, elle me parle de l'animal du manoir et d'un second animal, ce Dieu, ce créateur du trouble qui l'a introduite dans un processus d'intégration graduelle à l'abandon. Elle me parle volontiers de cette mouche qui, à tous les trois mois, renonce à ses principes d'économie et achète moult couronnes mortuaires pour célébrer l'avènement de sa mort à elle. Même si les journaux n'ont pas jugé bon de publier la nouvelle, la mouche a déjà à son actif une tentative d'assassinat; la mouche l'a délibérément expédiée chez le pharmacien sous prétexte qu'elle manquait de médicaments, cela en sachant pertinemment que Montréal était en guerre depuis une quinzaine de jours.

Ma chère vieille dame confuse baisse la tête et se tait.

Son attitude se modifie au cours des minutes qui suivent. Elle se redresse, paraît ravie de ma visite; elle s'excuse de n'être ni maquillée ni coiffée. D'un mouvement ample du bras droit, elle me désigne le salon. Ici, c'est son palais, son hâvre d'incertitudes. Il n'y a pas moins de trois cents pièces où elle se procure l'illusion d'être elle-même, dans ce palais. C'est le sort inéluctable qui échoit aux princesses désenchantées, se regarder dans un miroir sans défaillir en dépit des traits de leurs visages qui ne sont plus conformes à d'anciennes réalités. Le prince s'est absenté; le gouvernement de son royaume l'absorbe impitoyablement. Il s'est plaint récemment du comportement de monsieur Onassis qui détient la majorité des actions de la Société des Bains de mer; le président de la France menace également l'existence du royaume; son prince lui a glissé quelques mots sur des navires de guerre qui s'apprêteraient à envahir Monaco.

– Assoyez-vous sur ce fauteuil. Un beau fauteuil Louis XV, n'est-ce pas? J'ai redécoré la plupart des pièces.

Je lui obéis. Je l'écoute dans ce salon métamorphosé par sa mémoire.

– Je ne regrette rien. Mais j'aimerais recommencer ma carrière de comédienne, ne plus entendre ces bavardages à propos de la Société des Bains de mer et des chimpanzés qu'élève le prince. Imaginez-vous que je suis en concurrence avec ces bêtes auxquelles le prince accorde son entière affection, tellement que je deviens une figurante dans ce royaume où l'on me demande, le matin, de préparer un bol de céréales avec des biscuits Breton émiettés et du jus d'orange.

Il faut que je sois très vigilante car la domestique n'a pas apporté les coupes de vin et les pâtisseries exigées par le décorum, car le tremblement des mains d'Estelle s'accompagne d'un sourire crispé. Elle ajoute que ses sujets n'ont guère de compassion envers elle et la soupçonnent d'ourdir un complot qui mettrait en péril la vie du prince. Dans les revues de mots croisés, on appelle ses sujets des Monégasques. Son passé de comédienne affecte régulièrement ses relations avec le présent où elle ne trouve que cette phrase sûrement lue dans un scénario: «La chair se souvient du début de l'univers dont elle était un fragment, il y a des milliers d'années.»

Elle me dit ensuite: «Ne cassez pas la tasse.» Elle me dit: «Vous m'avez vue dans le film *Une fenêtre sur la cour?* Et elle s'emplit longuement de silence avant que ne s'écroulent les murs d'un palais, avant de poursuivre son rêve dans la ville de Bonaventure: «J'ai perdu quelqu'un, j'ai oublié son nom. Il doit s'être noyé dans la baie des Chaleurs. Prévenez ma sœur Alma, qu'elle se dépêche et alerte les autorités municipales.»

Elle avait tricoté dans le temps un gilet rouge pour cet homme dont elle ne retrouve plus le nom; elle l'avait mis dans une boîte sous la commode.

Je dépose sur le divan-lit cette boîte déjà remarquée et qu'Estelle m'a conseillé de ne pas déplacer lorsque je balaie. Estelle enlève l'emballage de papier de soie et prend le gilet inachevé. Elle chuchote que, dès demain, elle va se remettre à tricoter. Maurice surgit dans le salon et frôle ses cheveux. Estelle déplore le fait que des étrangers s'immiscent chez elle sans s'identifier ni même justifier leur intrusion. Maurice, lui, boit du café et estime qu'elle devrait sur-le-champ téléphoner à madame Thivierge.

— Vous connaissez madame Thivierge?

— Ben sûr, Estelle, elle était là, à notre mariage.

— Pourtant, monsieur, c'est la première fois que je vous adresse la parole.

Je m'empresse de dévier l'attention de Maurice sur son autobiographie. Il croit que je suis une envoyée de Dieu. Toutefois, il m'informe qu'il se serait produit une erreur de livraison.

– Laquelle?

– La montre du catalogue, je l'avais commandée pour ma sœur Georgette. Vous comprenez, c'est pas le fruit d'une mauvaise intention, c'est que je voulais remercier Georgette d'un service qu'elle m'a rendu. Vous y transmettrez mes remerciements avec la montre, par le courrier. C'est mercredi, aujourd'hui? J'aime les mercredis depuis que le CLSC a dans l'idée de nous faire graduer le mardi et le jeudi. Dîner avec du monde plus vieux que nous autres, ça mérite un certificat, ça, c'est certain; les histoires d'intégration de la travailleuse sociale m'ont pas l'air ben claires.

Estelle s'est endormie. J'ouvre le garde-manger où Maurice a rangé sur une étagère une cinquantaine de feuilles. Maurice commence à me dicter ce qu'il dénomme son épopée.

Le 6 février 1935, j'ai pris l'avion pour Berlin avec, dans mes bagages, la partition de deux concertos que j'avais composés, La Mort italienne *et* Éblouissement sur la montagne. *Et le 8 février, le jour de l'audition, en entrant dans la salle de concerts, j'ai eu la révélation que c'était un lieu créé exprès pour moi. Des lustres de cristal accrochés au plafond, des murs ornés de gravures pieuses, une Pieta en marbre, des colombes sculptées aussi dans du marbre, j'aurais pas pu souhaiter un paysage plus équivalent à mes dons. J'avais trente-sept ans, ma beauté et mon ingéniosité faisaient des discordes et des ravages dans le monde des jeunes femmes. J'étais donc reluisant de fierté quand j'ai soumis mes con-*

certos au chef de l'orchestre philarmonique de Berlin. Lui, il voulait se faire une opinion de mon talent et m'a demandé d'interpréter du Chopin. Je l'ai fait avec lyrisme. Monsieur Schmeling s'est exclamé: «You're a great Canadian!» À son avis, il manquait un brin d'humanité dans mon interprétation. Il faut dire que l'humanité m'avait tellement déçu que je gardais mes distances avec elle. Il a fallu que je réagisse vite, j'ai dû réveiller prestissimo dans ma pensée, les antécédents de mes intimes les moins dévots.

Dans le domaine des péchés de la chair, ma mère avait bénéficié d'une expérience d'envergure. J'y ai fait part discrètement de mon absolution compatissante; son obéissance à son tempérament impétueux lui avait valu des déboires en quantité. Je mentais pas en m'expliquant avec l'humanité de ma mère; le soir, quand j'étais jeune et qu'elle rentrait pas trop tard, j'avais de l'émotion à caresser ses beaux cheveux d'ange noir qui avaient des reflets presque bleus. Ma mère était de la race des anges noirs, malheureusement des territoires propices au vice. Le Christ n'a pas lésiné sur l'indulgence à leur égard. Si ça n'avait pas été de ma mère et de ses rapports étroits avec un chanoine, j'aurais pas pu faire mon chemin dans la vie. Après, je me suis penché sur Hector, mon père selon la loi, une victime consentante à tous les maux imaginables, que ma mère avait épousé sous le coup de l'impulsion, déjà enceinte des œuvres d'un notable.

Quel dépravé c'était, Hector! Quel triste enfant de Dieu s'adonnant à l'abjection comme si sa nature bestiale avait pas eu de fond! Il battait ma mère. Il devait avoir le dessein de nous élever dans la dignité, Adrien, Georgette et moi, en étalant devant nos yeux les conséquences de la déchéance. Il volait ses clients, il maudissait le nom de Dieu à journée longue; ses contacts avec le Créateur s'établissaient dans la violence, pas pour rien, parce qu'il enrageait de voir notre mère nous éduquer dans l'esprit de Mozart et de Rimbaud, des traînés comme il disait, juste bons à user les dessus de chaises.

C'est pas par hasard que la malchance, dans la famille, était d'origine italienne et que mon père avait reçu un jour une balle dans l'épaule: il était affilié à la petite pègre de Montréal. Nous, ses enfants, on avait de quoi être inspirés par les Italiens; sous l'emprise de Satan, ils passaient des heures dans le salon à manigancer avec mon père. À la vérité, mon père Hector avait été choisi entre tous les hommes pour éprouver la solidité de notre foi.

Adrien, Georgette et moi, on n'a pas pu faire autrement que de subir l'influence de l'Italie où d'un côté, le diable travaille les populations, pis de l'autre côté, le pape fait son possible en bulles pontificales et en encycliques dans le but de redresser les vertèbres des vendus à Satan.

Je jouais du Chopin en pensant à mon père décédé par suite de ses troubles avec la légalité; quelques mois après la mort d'Adrien, une balle amicale lui avait traversé le cœur, une balle tirée par un de ses comparses.

C'est comme ça que j'ai déclaré mon amour aux deux artisans de mon génie. Le chef d'orchestre, ébranlé par la force magistrale de mon interprétation, m'a dit en anglais: «Dès cette minute, vous faites partie de l'orchestre philarmonique.» Ce fut un instant d'attendrissement sans bornes.

En mars et en avril, j'ai répété régulièrement avec les musiciens de l'orchestre. C'était devenu un supplice pire que les flammes de l'enfer; Adrien avait disparu; les enseignements de l'agriculteur s'avéraient inutiles. Adrien, de son vivant, avait jamais pardonné à Hector d'avoir massacré notre *mère, au retour d'une de ses vibrantes nuits avec le chanoine. Estineux comme tous les morts, il m'avait faussé compagnie sous prétexte que notre père Hector ne méritait pas mon affection.*

Pourtant, le fait de fréquenter par le souvenir mon père et ma mère, ça me changeait énormément. J'offrais des fleurs aux prostituées de Berlin; j'écoutais les confidences des mendiants. La consolation des affligés de ce monde m'aspirait vers la perfection. Ça me portait surtout à caresser les cheveux des femmes; j'avais les doigts profondément filiaux, renoués au sentiment que ma mère devait, du paradis, s'enchanter d'avoir un fils tel que moi. C'étaient donc des conditions de vie remarquables. Mais ma progression sur la voie de l'humaité, sans Adrien, était pénible et de nature à me faire perdre mes moyens. Le 30 avril 1935, j'ai aperçu la silhouette d'Hector juste à côté du chef d'orchestre; malgré moi, j'avais cultivé sa présence. En l'espace d'une seconde, j'ai entrevu les risques que j'allais courir avec lui. Il m'entraînerait dans un chemin de croix de tentations. J'ai renoncé à la gloire et j'ai quitté la salle de concerts et ses musiciens prestigieux sans même avertir le chef d'orchestre.

Maurice m'examine d'un œil inquisiteur.

– Vous fiez-vous à la bonté de Dieu? J'sus certain qu'écrire ma vie vous fait réfléchir sur la justice du Créateur. Est-ce que j'ai raison?

En guise de réponse, je souris. Il poursuit:

– C'est pas pour me vanter mais, en deux mois, l'Allemagne m'avait adopté! Une année de plus, et ma réputation aurait égalé celle de Wagner et de Beethoven! À l'époque, ma beauté aveuglait l'entendement des Allemandes.

Maurice va cacher les feuillets sous son matelas. Il me

fait un clin d'œil: «Si jamais vous en parlez à Estelle, j'y dirai que vous avez volé sa robe verte.»

Je balaie. Leur sommeil ne les empêche pas de discourir en moi. Leurs errances dans les beaux et mauvais moments d'autrefois me procurent une actualité fragile où je m'approprie laborieusement mes gestes. Les liens avec chaque minute se dissolvent et c'est absurde, rien n'est alors plus important que le tissu effiloché d'un torchon ou le manche d'un balai. Plus tard, lorsqu'ils ouvrent les yeux, d'autres riens se succèdent dans cet état de dissolution où, vainement, j'efface les traces de mes pas, où, vainement, je ravive ces traces. Maurice va s'asseoir près d'Estelle sur le rebord du divan-lit; ils applaudissent les vedettes américaines qui défilent sur l'écran du téléviseur. Durant le souper, Maurice se préoccupe des poils blancs qui débordent de son nez. Nous nous retrouvons constamment devant la difficulté de vivre déguisée en ciseaux coupant des poils blancs ou en communication téléphonique avec un chauffeur de taxi. Maurice crie dans le combiné qu'il compte sur lui, que c'est l'étape convenue du grand service mensuel sinon il ne le renseignera plus sur les cotes de la Bourse. Estelle se croit menacée par un fleuriste; elle rit ensuite, me promettant d'être mon alliée si quelqu'un ose fleurir ma mort de couronnes mortuaires. Je lui adresse des sourires sans vérité, des sourires étrangers à mon corps dilué dans leurs ambitions et dans leurs soupirs.

Puis je dois suivre Maurice et, sur l'une des six chaises, le regarder longtemps afin de le protéger; des fantômes ranimés par son autobiographie rôdent autour de son lit. À son tour, Estelle me réclame; elle ne sait plus qu'il est sept heures trente; elle me montre ces choses sur la commode qui n'arrêtent pas de grandir pour s'évanouir aussitôt dans cette chambre vide comme demain, comme aujourd'hui, comme hier. J'ai l'impression que nous nous tenons toutes deux au bord d'un précipice sans que ma main cesse d'être la demeure quotidienne d'un fleuve, d'une patinoire, tandis qu'elle s'agrippe à cette main.

* * *

La sonnerie du téléphone m'a surprise pendant que j'écrivais. Le soir, après avoir collationné, je rédige le récit des journées d'Estelle et de Maurice. C'était lui qui hurlait en bégayant: «Venez, Josée! Elle est plus dans la maison! Dépêchez-vous!»

Un taxi m'a déposée devant l'édifice de la rue Laurier. Maurice se démenait, allait du divan-lit à la commode où il s'emparait du portrait de Krystel, le replaçait, se tournait vers le divan-lit.

– Y est minuit, elle va se faire tuer comme le vieux de l'autre jour!

Alma, également prévenue par Maurice, est arrivée en gesticulant:

– Imaginez-vous donc qu'Estelle m'a appelée à dix heures! Elle était dans son bon sens! Elle me recommandait même la conduite à prendre dans le cas de mon allocation de vieillesse qu'on veut diminuer. C'est pas bizarre qu'y ait des gens comme Estelle qui se cherchent à noirceur, dans les rues de Montréal: on est ben mal administrés! Vous, la femme du CLSC, promenez-vous dans les rues proches d'icitte; Estelle est pas forte, a pas pu se rendre au Texas. Moi, j'vas me faire un plaisir d'alerter la police pis de leur prêcher ça, qu'y se plantent au plus sacrant dans la bureaucratie efficace de nos avoirs.

Les rares passants que je croise n'ont pas vu une vieille dame aux cheveux blancs. Je distingue une ombre assise sur un banc, je m'approche quand, de cette ombre, s'élève une voix: «Ma mère, c'était une vraie martyre.» On la garde prisonnière dans un salon où les choses se sont mises à grandir. Le jour, elle espère la venue d'Alberto en mangeant des biscuits Breton.

Estelle se redresse, fait quelques pas. Un clochard, la main tendue, surgit devant elle. Elle lui demande s'il est ce fils monstrueux de Dieu dont on a parlé récemment dans le journal. La liste des invités de la mort se trouve sur la commode, dans la maison de la mouche. Elle conseille au clochard de ne pas s'occuper d'elle et d'entrer plutôt par effraction dans la maison de la mouche.

Estelle fait plusieurs fois la révérence devant le clochard ébahi, et lui donne une pièce de vingt-cinq sous. Elle lui raconte que ce sera un grand soulagement pour le vieil homme que d'être assassiné; elle-même en éprouvera une grande paix. Le vieil homme crie, un désâmé de la pire espèce; il lui a volé sa chambre; il lui a jadis envoyé des lettres anonymes. Il porte un pyjama bleu, il mesure cinq pieds six pouces, ses yeux sont verts, son crâne est presque complètement dégarni et, avec les années, des champignons ont poussé dessus. Estelle demande encore au clochard si cette description lui suffira pour reconnaître le vieil homme. Celui-ci la remercie, s'incline à quelques reprises tout comme Estelle. Il lui offre à boire. Estelle refuse, lui suggère de commettre son méfait au plus vite.

Je me rapproche d'elle; j'effleure sa chevelure. Elle est persuadée que j'appartiens à cette engeance de rebelles qui font des mots croisés afin de berner la voisine qui, plus que tout autre, souffre d'une illustre pauvreté en matière de vocabulaire. Elle me dit qu'elle ignore le chemin du retour, qu'il faut attendre un peu et laisser au criminel le temps d'opérer.

En pénétrant dans l'appartement, Estelle s'étonne de revoir Maurice. Alma m'ordonne de rester, cette nuit. Je dormirai dans le fauteuil. Elle rappelle les policiers, nous sommes revenues saines et sauves malgré les avatars de la bureaucratie.

Estelle salue maintenant Alma et s'informe de son mari, de son fils.

– Voyons, Estelle, y sont décédés, ça fait un gros dix ans!

– Vraiment?

– Estelle, t'en perds des bouttes! Avec toé, on sait jamais de quel bord tes esprits vont pencher. Dors comme du monde, j'vas tâcher d'en faire autant.

* * *

Le soleil est levé. Il doit être environ six heures. Deux couronnes de fleurs mortuaires sont disposées à gauche et à droite du visage d'Estelle; une troisième orne sa poitrine. Je me cache derrière le fauteuil cependant que mon cher, mon ineffable Maurice saisit une perruque dont il coiffe ensuite Estelle. S'agenouillant, il gémit:

– Ma belle Estelle, t'étais une femme si honnête, si respectable, que Dieu, impressionné, t'a convoquée dans son paradis! J'y pardonne mais t'imagines-tu mon chagrin?

Maurice se relève en sanglotant et embrasse Estelle.

– On pourra dire ce qu'on voudra, t'étais la plus merveilleuse des femmes! Y a eu des mauvaises langues en abondance pour insinuer que tu couchais avec les célébrités de passage au *Seignory Club*. Si jamais c'est vrai, je te pardonne au nom de Dieu. Quand je te demandais en mariage, le lundi, te souviens-tu que tu me répondais: «Maurice, t'es le plus bel homme que j'ai connu mais j'ai pas le courage de m'arrêter devant des considérations aussi graves que le mariage. Un talentueux musicien comme toi mérite mieux qu'une hôtesse du *Seignory Club*!»? On s'est mariés en 1970: j'ai réussi à te convaincre que la splendeur de ton âme valait ben des fois celle des héritières qui m'admiraient. J'sus heureux, Estelle, d'avoir vécu vingt ans avec toi; tu t'es montrée sous ton vrai jour, ardente à soigner mon âme en détresse, ben décidée à me faire bénéficier du bonheur qui m'était dû! Les couronnes ont coûté cher mais on regarde pas à la dépense quand Dieu a permis ça, de côtoyer un être aussi ben habillé, aussi ben pourvu en sagesse que toi.

Maurice sanglote encore un peu. Il murmure une dizaine de chapelet pour le repos éternel de sa femme. Puis il explique à Dieu que madame Grace Kelly avait invité Estelle à visiter le royaume de Monaco, et qu'une princesse ne peut pas se tromper sur la qualité de ses invités.

– Ma femme, es-tu partie en paix, réconciliée avec ton Créateur? J'vas dire l'acte de contrition à ta place pour t'épargner les flammes de l'enfer. Je vas t'assurer le rang qui te revient dans ma biographie, le premier. Je pense qu'en haut, dans le ciel, tu vas me faciliter la tâche de devenir centenaire.

Estelle sourit et retient son souffle. L'odeur des fleurs la fait soudain éternuer, ce que ne remarque pas Maurice, tout absorbé qu'il est, la nuque penchée, à chuchoter l'acte de contrition. Je comprends qu'Estelle puisse se sentir parfois menacée par des fleuristes; je suis la scène, immobile; seul mon visage émerge de l'abri improvisé. Maurice soulève la tête d'Estelle, glisse la main dans la taie de son oreiller. Il en retire des photographies, des lettres et des cartes postales.

– Enfin, je vas lire la correspondance de la princesse.

Estelle ouvre les yeux, sourit malicieusement et somme

Maurice de lui restituer immédiatement son maigre bien personnel. Les joues cramoisies, Maurice s'excuse:

— Estelle, j'ai pas coutume de violer ta vie privée! Tiens, reprends-les! C'est juste que je te pensais au paradis, délivrée de ta maladie.

— Pour les couronnes, t'as téléphoné au chauffeur de taxi?

— Oui, après le souper, hier au soir.

Estelle palpe les lettres et autres reliquats de son passé qu'elle remet dans la taie de son oreiller. Elle sourit toujours devant un Maurice désarçonné.

— Va chercher les journaux et le courrier dans la boîte aux lettres.

Durant l'absence de Maurice, Estelle me confie que celui-ci n'est pas un homme mauvais et que la curiosité le pousse à s'exposer aux joies de l'extravagance; à elle, ce rituel procure l'agrément d'entendre l'éloge de ses vertus.

Elle m'a aidée à préparer le déjeuner avant de s'asseoir.

— C'est mercredi, aujourd'hui?

— Non, c'est jeudi. Vous devez dîner au manoir.

— Appelez l'animateur, on n'ira pas. Ça épuise Maurice quand il fait un trop grand usage de ses cris et de ses larmes.

Nous mangeons. Maurice feuillette les journaux en buvant son café. Ce 14 juin, les victimes sont tombées en nombre imposant dans les filets de la voisine. Maurice prétend avoir acheté les couronnes mortuaires en prévision de la belle hécatombe consommée en fin de soirée, rue Ste-Catherine.

— Cinq cadavres d'un coup, et en plus, ils ont eu la chance d'être mitraillés par la police. Ça va nous avancer dans nos études, hein, Estelle?

Je témoigne actuellement en entreprenant des recherches dans les bottins téléphoniques de la région des Laurentides, de la région de la Mauricie, de celles de Charlevoix et du

Sagnenay-Lac-St-Jean, dont l'acquisition résulte des transactions entre Maurice et le chauffeur de taxi. Le fait de témoigner me transforme en lectrice; puis, à voix haute, je dois déclamer le nom des personnes figurant dans un carnet d'adresses neuf, ainsi que les coordonnées de «ces invités», selon l'expression d'Estelle. C'est un être humain, la mort, c'est quelqu'un de recevant et qui propose ses services à n'importe qui. Les suppositions d'Estelle entraînent une répartition des rôles établie par elle consciencieusement; il convient d'accueillir la mort avec les égards qui lui sont dus, de sorte que je répète après eux les derniers mots, les derniers gestes des disparus lorsque ceux-ci, par «merveilleux adon», à l'avis Estelle, ont été signalés par des journalistes. Une fois terminés les préliminaires de la cueillette et de la transcription des données, Maurice et Estelle se vouent à l'essentiel, la récitation des prénoms des vieux et des jeunes morts. Leur âge réel n'indique en rien leur jeunesse, plutôt reliée à l'époque de leur disparition. Ils commencent invariablement par le violoniste et la mère d'Estelle, par ces gens d'autrefois pour ensuite aborder ceux qui ont succombé récemment.

Estelle et Maurice mettent de l'insistance à dire qu'ils avaient les cheveux blonds, châtains ou noirs, à dire qu'ils avaient les yeux bleus, gris, verts ou bruns. Cela semble importer davantage que les circonstances tragiques évoquées brièvement. Un tel a été poignardé, une autre a été violée et étranglée; j'aperçois ce sourire très doux, ces éclairs de tendresse dans leurs yeux bleus et verts, ce visage chaviré par les vagues d'un plaisir appartenant habituellement aux nuits d'amour. J'assiste à une fête de plus en plus insolite, au gré des jours.

Cette fête les fatigue; ils vont se coucher. Je crois que leurs craintes les incitent à chercher mille visages pour la mort, des visages aux contours si nets que celle-ci n'osera pas se rendre jusqu'à eux-mêmes, camouflés derrière des épaisseurs de journaux.

Quand Estelle s'éveille, elle désire prendre l'air sur le balcon. Assises sur des berceuses, nous observons la foule qui évolue sur le trottoir. Estelle rit. Du huitième étage, hommes et femmes paraissent petits, littéralement des mouches aux ailes tanguant vers l'asphalte.

À notre retour dans le salon, Maurice lui tend une poignée de vitamines afin de revigorer sa mémoire. Elle éclate de rire:

– Tu serais mal pris si je la retrouvais au complet! Toi, Maurice, tu devrais soigner ton apparence!

– Veux-tu dire le chapelet avec moi pour remercier Dieu de cette bonne journée?

– Non, c'est moi qui te remercie. Ce matin, tu m'as fait passer pour la meilleure femme au monde.

– J'ai même pas besoin de faire des accroires au bon Dieu! À part de ça, t'es ben dévouée à la cause des morts, c'est toi qui as eu l'idée de la liste.

Après le souper, Estelle, campée derrière le comptoir de la cuisinette, nous a fait un signe de la main, suivi d'un soupir: «Salut tandis qu'on se reconnaît!» Mais, à sept heures trente, elle recouvrait ses poignets de vernis à ongles.

* * *

Maurice s'appuie sur une canne. Estelle se déplace en le tenant par la main. Une voilette dissimule le haut de son visage. Je les accompagne au manoir, à la requête de la travailleuse sociale; lors du dernier dîner, là-bas, Estelle s'est enfermée dans une salle de bains dont elle refusait de sortir.

Estelle dégage brusquement sa main de celle de Maurice et accoste quelqu'un.

— Madame Thivierge, ça fait une éternité qu'on s'est rencontrées! Je parle souvent de vous à Maurice!

Il s'approche et s'exclame:

— Ah! madame Thivierge, je vous oublie pas dans mes prières pis je rappelle à Estelle qu'il faut qu'elle vous téléphone!

— Vous vous souvenez, madame Thivierge, à l'*Hôtel King*, quand vous m'appreniez l'anglais pour que je traite bien les clients de Montréal?

— Quels clients? Je vous connais pas!

Le pire, lorsqu'une inconnue vous examine de la tête aux pieds, c'est probablement d'entrevoir, en baissant à votre tour la tête, le bout usé de vos souliers blancs réservés pour les grandes occasions. Le pire vous guette pendant que vous continuez de marcher, dépouillée par un regard de ce respect minutieusement entretenu au moyen de revues, de mots croisés et de robes. C'était votre deuxième peau, ce respect difficile à récupérer au rez-de-chaussée du manoir où déambulent des vieillards vêtus de pyjamas et de jaquettes.

L'animal qu'Estelle n'aime guère nous conduit vers la cafétéria, en vertu de cette manie d'intégration graduelle au dénuement, enfin c'est ce que me chuchote Estelle. Elle manipule avec précaution une cuillère. Elle renverse ensuite du potage sur sa robe. Je me mets à la place d'Estelle, peut-être afin qu'elle se sente moins nue et moins honteuse dans ce reflet d'elle-même qu'elle trouve dans les yeux de l'animateur. Je la vois qui se recroqueville, les épaules tassées, le souffle haletant. Il y a du mépris partout où elle va depuis quelques semaines, chez les vivants. Mais elle s'obstine à demeurer celle qu'Alberto admirait et, négligemment, affirme que les mains sont assurément le troisième étage de la peur. L'animateur, surpris, réagit en la faisant répéter. Elle joue avec sa fourchette qui tombe par terre. Je me mets à sa place: moi aussi, je voudrais absolument échapper à cette indifférence qui s'étale dans les doigts, dépassé un certain âge et une certaine frayeur aptes à tout mêler, l'élégance et le frisson, le jour et cette terrible indifférence. Moi aussi, je voudrais absolument me lever et fuir, et cesser d'être trahie par mes gestes, et cesser de m'excuser d'avoir taché le pantalon de l'animateur avec du café.

L'animateur la plaint et sourit par-dessus le marché. Il l'entraîne, son bras sous le sien, vers la salle de conférences. Estelle boite à cause de ses souliers trop étroits. Je me mets à sa place, au milieu de cette salle où personne n'est ébloui par la beauté de son visage, par son port gracieux, par sa démarche aérienne; je me mets tellement à la place d'Estelle que je songe que nous avions vingt ans il n'y a pas si longtemps, qu'autour de nous, coule maintenant de l'espace trop froid, trop petit, puis que, soudain, cet espace devient trop grand; il y flotte de longues silhouettes sans limites, sans arrêt, sans cœur à offrir. Nous voudrions que Maurice se mette à hurler qu'une cuillère a été volée. Nous voudrions ne pas éprouver cette honte disproportionnée qui nous rapetisse et qui nous trompe sur les dimensions exactes de ce lieu. L'animal s'est assis près de nous. Il nous surveille. Une infirmière parlemente; sa voix se balance dans la salle trop immense, chaque mot qu'elle dit ne peut pas nous entendre et choit dans le noir de cette salle.

L'infirmière s'est tue. L'animal nous demande: «Comment allez-vous, madame Bilodeau?» Nous le détestons. À notre insu, nous ôtons notre voilette et lui adressons un de ces sourires qui, autrefois, ne manquaient pas de nous attirer les égards masculins. Nous ouvrons furtivement notre sac à main, nous mettons rapidement un peu de fard et de poudre sur nos joues. L'animal nous complimente. Une seconde, nous sommes très heureuses malgré cette salle redevenue extrêmement petite. Et nous murmurons: «Le temps m'a laissé quelques rides, il s'est montré assez poli à mon endroit.»

Nous sourions encore à l'animal même si le contenu de notre sac à main s'est déversé sur le plancher. L'animal range complaisamment nos mouchoirs, nos boîtes de fard et de poudre, tous nos secrets, dans notre sac à main. En silence, nous maintenons que nous avons vingt ans. Maurice crie que c'est très beau ici, et que les vieux sont des concitoyens aux mœurs généreuses. Maurice est porté sur la dépense quand il s'agit de boniments. Que nous l'aimons, en ce moment! Il parle de rentrer à la maison et de la liste qu'il faut compléter.

L'animateur, ce chimpanzé à lunettes et sans aucune délicatesse, ose mettre en doute le bien-fondé de notre vie:

– C'est si important que ça, votre liste d'épicerie?

Nous lui répliquons avant de partir: «Lorsque vous aurez consigné la liste de vos infractions aux bonnes manières, la nôtre sera sûrement plus avancée que la vôtre!»

* * *

Je suis revenue à cette place, la mienne, que j'appellerais volontiers la capitale internationale de la déroute: il y a Estelle qui, sur le rebord du divan-lit, cherche son chemin; il y a Maurice qui désire que je lise un passage de la Bible. Dans la capitale de la déroute, on peut tuer pour un rien, la respiration y est interdite, des points noirs s'assemblent devant les yeux, votre cœur pourrait démissionner pour un rien.

Il n'est pas possible de suivre le déroulement des événements, il n'est pas possible de comprendre qu'une vieille femme ait perdu ses pouces, qu'elle redise «les gros doigts». On accomplit alors un effort inimaginable et l'on regarde dans un salon une vieille femme, on accède à quelqu'un d'inimaginable avec un rire faux, avec des mains fausses qui caressent les cheveux blancs de la femme qui vous questionne:

– Est-ce que les mots, ça peut s'user et disparaître? Est-ce que mon corps ne s'intéresse plus à moi? Vous savez, ça me concernait directement, ça ne veut plus me rejoindre, le mot juste. C'est comme si, avant de mourir, j'assistais à ma propre disparition dans le langage. Qu'est-ce qui va m'arriver si tous les mots prennent ensemble le parti de me quitter?

Elle touche son front et dit «front». Elle touche son menton et dit «menton». Elle me redemande:

– Comment ça se fait que les mots perdent la foi en mon corps qui se résumait à la capacité d'avoir la foi en n'importe quoi?

Autrefois, elle était entièrement Estelle Bilodeau. Ses alliés ne s'enfuyaient pas; son corps est son allié depuis toujours. Est-ce que ce serait ça, la fin de tout, la fin d'Estelle Bilodeau, se voir doucement s'en aller d'elle sans respecter les anciennes convenances?

* * *

Ce soir, Melquiades, je t'écris en mettant au présent des heures déjà mortes comme toi. Une vieille femme a soupiré «C'est l'heure de la déchéance», ajoutant que son cœur ne supporterait pas de tels départs. Son cœur et les mots, c'est la même chose pour elle. Elle et moi, nous nous ressemblons, deux rôdeuses tremblant parmi de rares convictions et allongeant le bras pour saisir ce qui s'éternise de velours dans l'instant.

Le jour demeure incertain. Les oiseaux chanteront à l'aube. Je m'y glisserai avec quelques détails, ma peau, mes yeux noirs, mes cheveux châtains quand je voudrais plutôt te savoir vivant, et simplement marcher près de toi sur un trottoir. Nous serions là à examiner l'être flou des passants, leur démarche appesantie par les rêves de la nuit. Je prendrais ta main et je dirais n'importe quoi. «Tu n'as pas changé.» Tu me répondrais qu'ici, c'est pareil à l'Anse-St-Jean, les hommes se promènent avec des allures d'étrangers à la terre, notre plus proche parente.

Mes doigts voudraient ne pas être seuls à pousser les mots du côté du jour naissant.

* * *

Estelle secoue la tête, argue que la garde-robe de cette chambre inéluctable, dont la travailleuse sociale fait l'éloge, ne suffira pas à contenir toutes ses robes.

— Si Maurice et moi, on restait ici...

Madame Corneau brandit les documents.

— Est-ce que je vous ai obligée à signer?

— Il y a quand même des limites aux consentements. On a vécu ici vingt ans. On ne souhaite pas déménager.

La travailleuse sociale se tourne vers Maurice.

— Vous, monsieur Tremblay, le 8 septembre, estimez-vous que cette date vous va pour le déménagement?

— Oui. Estelle est pas très religieuse; elle est d'avis que c'est par charité que vous nous recommandez le manoir. J'vas y démontrer que les subventions sont une manifestation de la bonté du gouvernement.

116

Avant de fermer la porte, madame Corneau me suggère de sortir avec Estelle aujourd'hui; cela l'aidera à se faire une meilleure idée de l'autonomie et de la réalité.

– Qu'est-ce que vous en pensez, Josée?

– J'ai été engagée pour veiller sur vous, sur Maurice en attendant...

– En attendant quoi?

Je me tais. Je continue à laver la vaisselle. L'inertie des témoins ne promet que des abandons. Ne promet que des prétextes à des regards qui enlèvent le droit de vivre.

– Est-ce que les mots, ça peut s'user et ne plus rien espérer?

Je me détourne, je la contemple, dépourvue d'elle-même, se frottant le genou droit, puis le genou gauche, et s'adressant à eux, ces endroits osseux qui n'ont plus connaissance d'elle-même. Je voudrais ne pas exister, ce 29 juin, pendant qu'Estelle leur demande:

– Vous n'avez plus envie de moi?

Elle me sourit pitoyablement; elle a décidé d'aller dehors pour vérifier s'il s'y trouve de l'espoir.

Le trottoir, la librairie, l'église, les réverbères, n'est-ce pas merveilleux de les faire revivre sur ses propres lèvres? Voilà des amoureux pour qui c'est tout naturel d'échanger des phrases. Avant, elle aussi croyait que c'était facile. Coupole, auvent, vitrail, lucarne, tout ça, ça lui revient. N'est-ce pas merveilleux de retrouver cet accord avec les gens autour d'elle? Il y a des siècles que cette paix s'illustre, que ces gens et leur lignée ont adopté ces beaux, ces vieux enfants qui s'élancent de leur bouche ouverte.

Estelle s'enchante de ce qu'elle voit et destine à la parole. Les mots ne lui ménagent pas leur amitié. S'il n'y avait pas dans la ville de Montréal de travailleuses sociales, les gros doigts et les endroits osseux ne contrediraient pas la grandeur du monde.

Nous rentrons. Maurice s'écrie «Nous sommes heureux» en nous apercevant. Ils collationnent. Ensuite, nous sommes captivés par des enfants et des femmes assassinés. Estelle et Maurice redeviennent des récitants après que j'aie copié des noms dans un carnet. Il me semble que ces femmes et ces enfants se joignent à eux pour répéter qu'ils ne se résignent pas à mourir; je sens leur présence. Peut-être Maurice et Estelle éprouvent-ils le poids de ces insolites présences, eux qui, d'un bref signe de tête, saluent les étranglés, les fusillés, les dépecés et les violés. J'étouffe. Je cours vers la salle de bains et je vomis. Nous ranimons des humains bafoués dans leur chair à en blesser le jour.

Lorsque je retourne dans le salon, Estelle et Maurice remettent sur la commode les journaux, les bottins et les carnets en fredonnant le «Minuit, chrétiens».

Il m'arrive de vouloir les tuer. Il m'arrive de ne plus savoir où j'en suis avec eux. Agenouillée près de Maurice, je bafouille une dizaine de chapelet; puis je vais consoler Estelle qui a imaginé qu'un bel oiseau blanc s'effondrait sur le plancher. Je repars dans la chambre de Maurice à qui je dois lire la résurrection de Lazare. Maurice étire sa main droite, effleure mes cheveux et crie:

– Lazare était un saint homme. Moi, je vas imiter Lazare et rallonger ma vie au-delà des limites permises; j'avale dix vitamines par jour; je prie Dieu qui, dans son infinie bonté, n'y est pas allé avec le dos d'la cuillère et m'a rendu célèbre. Mon nom est écrit dans les journaux, je vas vous montrer ça.

Un hebdomadaire d'Ottawa a consacré deux courts reportages à Maurice, en 1947 et en 1955.

– J'attends qu'Estelle défaille pour m'en aller en Italie. L'état de ses forces y interdit de m'accompagner. A déjà commencé son entrée dans le royaume de Dieu, a m'a certifié qu'avait déjà perdu ses genoux et ses pouces. Je la protège depuis 1943, j'ai rien à me reprocher. Je l'ai sauvée des eaux, lorsqu'elle a failli se noyer. J'y ai même acheté une perruque quand ses cheveux sont tombés.

Peut-être pour me retenir dans sa chambre, Maurice me conte que, le soir, les plus vénérables musiciens viennent s'asseoir près de son lit.

– C'est ça, le miracle. Mes doigts sont mangés par l'arthrite et ça m'est défendu de prouver mon génie. Mais j'ai un secret: j'ai rien qu'à fermer les yeux, et la musique se met à jouer toute seule, la musique se pratique en moi sans que je fasse opposition à sa volonté. Y a fallu que mes entrailles soyent labourées par de terribles déceptions avant que je devienne un grand musicien de l'intérieur. Mes organes sont rendus des musiciens, ça doit être un effet de la bénédiction divine.

Depuis deux semaines, avant de s'adonner à ses concerts intérieurs, Maurice veut que je chante «Au clair de la lune»; je dois également reconnaître qu'il est l'enfant le plus sérieux de l'univers et que moi, sa mère, je considère qu'il remplacera Mozart. La lumière éteinte, j'allume deux chandelles. Je dois lui dire qu'Adrien s'est endormi. Je l'embrasse sur le front, je lui confirme qu'il fera soleil demain. Puis je souffle sur les chandelles et je vais rejoindre Estelle.

Celle-ci s'est assoupie. Ils me livrent tous les deux de nombreux indices sur eux-mêmes comme si leurs corps en péril avaient besoin d'un peu de cœur où dormir ne serait pas mourir. Il est probable que les auxiliaires familiales inventent des Italie, des ciels arachnéens pour des vieillards se cherchant alors une éternité à même le possible qui persiste dans le corps de quelqu'un d'autre. Je suis leur deuxième peau, leur deuxième mère, leur dernier amour. Avec moi, ils présument que tout va recommencer. Je suis leur deuxième vie; ils se jalousent et m'accaparent, une fois revenus du sommeil.

Estelle vient de s'agripper à mon bras. Je la regardais, j'essayais de deviner ce qui faisait frémir son visage. «Il va venir, il l'a juré dans mon rêve, il va mettre son habit blanc de patineur et m'apporter les mots qui me font défaut.» Elle ne pardonne pas à Dieu de la convertir en infirme du siècle et réclame un verre d'eau.

* * *

Maurice tire une chaise pour Estelle. Il s'exclame:

— T'es belle que c'est pas croyable! Ta robe est reluisante de majesté! Toi qui avais pas ton pareil pour les mots croisés, est-ce que tu connais le nom des fleurs italiennes, des arbres italiens? Le chauffeur de taxi m'a téléphoné hier. Il veut aller en Italie et il a peur de passer là-bas pour un innocent. J'y ai garanti que t'étais un puits d'instruction et que je me renseignerais.

Estelle se souvient du mélia, un arbre à fleurs odorantes cultivé en Europe. Elle parle de lavande, de platanes, de marronniers. Elle mentionne aussi les azalées, les primevères et les tournesols. Elle s'interrompt, se frotte le genou droit. Je suppose qu'elle se demande pourquoi c'est si aisé de prononcer des mots qui trouvent si loin leur raison d'être, en France, en Italie, en Allemagne.

* * *

Je ressens un immense vertige en les voyant trembler devant une assiette, en les voyant s'arrêter et m'examiner avant de reprendre leur fourchette, toujours en tremblant. C'est un moment pénible qui me renvoie vers toi, un an avant ton décès. Tes mains, Melquiades, oscillaient autant que les leurs.

Je ne leur apprendrai jamais ton prénom de crainte que Maurice et Estelle l'inscrivent sur leur liste. Après la collation, ils se lèvent afin de présenter leurs hommages à leurs défunts. Je n'en peux plus d'accomoder les victimes des journaux, comme dit Maurice. Je refuse de continuer. Estelle insiste, le fait de commercer avec les morts est primordial, est de nature à influencer le cours du temps.

Les écouter déclamer les détails d'assassinats récents fait de moi une orpheline, à chaque fois. Traqués jusqu'en leur dernier souffle, ces interdits de séjour en pays d'espoir sont de ma parenté puisqu'ils ont rêvé. Estelle et Maurice racontent comment c'est arrivé, la fusillade de la rue Ontario, comment une Solange déprimée s'est jetée dans le fleuve St-Laurent, comment une dénommée Suzy, mère de quatre enfants, a été poignardée par son ex-mari. Des voisins ont rapporté que l'homme hurlait: «J'vas te punir de tes fautes, ma ciboire!» Ils s'entretiennent civilement de cette Suzy, une héroïnomane aux bras couverts de piqûres dont le cas a obsédé un journaliste. Le chagrin de ses enfants est résumé en quatre phrases redites par Estelle et Maurice: «Elle avait seulement trente-huit ans. Elle ne faisait pas de troubles. On l'aimait. Elle pleurait souvent.» Estelle se relève, prend un couteau dans le tiroir des ustensiles. Puis elle martèle la table de coups de couteau en criant: «J'vas te punir de tes fautes, ma ciboire!»

Elle qui se cantonne dans des refuges honorables crie encore: «J'vas te punir d'avoir mis ma vie à feu et à sang, ma maudite! J'vas te brûler la peau avec une cigarette! Tu vas crever comme dans les films!»

Maurice, étonné, observe Estelle qui se rassoit en fredonnant le «Minuit, chrétiens». Il se met à chanter avec elle. Rien n'est plus étouffant qu'une pièce où deux vieillards ressassent des souffrances inadmissibles. Je doute de tout, de ce salon, de ce baiser de Maurice sur la main d'Estelle. Avant de regagner sa chambre, il la félicite de cette proposition d'achat qu'elle a courageusement soumise aux plus nobles autorités. Moi, je me rappelle des premières minutes passées ici alors que je ne savais d'eux que leur nom, leur âge. J'ignorais qu'un jour Maurice balbutierait à mon oreille: le «Minuit, chrétiens», c'est la condition que j'ai imposée pour escorter Estelle dans son commerce. J'veux pas offenser Dieu, j'veux commercer avec lui, mais dans le respect.» Et surtout, j'ignorais qu'un jour, une dame allongée sur un divan-lit effleurerait mon bras en murmurant: «La mort est mon amie, je l'ai entrevue il y a un an, quand mon cœur m'a fait défaut; c'est une personne comme vous et moi. Elle habite le provisoire, c'est son malheur; elle reçoit un tas de gens et n'a qu'une seconde pour établir une relation avec eux. La mort est fatiguée du provisoire. Ce n'est pas en vain que je lui signale la couleur des yeux et des cheveux de ses invités; je l'aide à prolonger ses rencontres. Elle vient dans le salon. En échange de mes services, elle va m'offrir l'immortalité; peut-être que j'obtiendrai d'elle de l'immortalité pour vous et Maurice. Vous pensez que j'ai l'esprit fêlé. Je vous assure que la mort a comme moi des problèmes avec les déménagements; à son avis, les choses se font trop vite. Dans le fond, elle me ressemble, à cette époque où je comptais aller à Hollywood.»

Estelle ne se moque pas de moi. Elle n'oserait pas. Elle humanise le silence, la liberté et la mort, croyant qu'il y a un peu de silence, un peu de liberté, un peu de mort en chacun, et qu'il suffirait de renouer ces élans divers et épars en chacun afin qu'en surgissent des créatures puissantes, dotées d'une sagesse millénaire. «Pourquoi, me demande-t-elle ensuite, ai-je oublié les mots convenables?»

Je pose sur ses genoux des formes d'oiseaux découpées hier dans une jupe de velours rouge que m'a donnée ma mère. Sur le tissu, j'ai identifié les déserteurs occasionnels avec un crayon-feutre noir. Estelle caresse les oiseaux de velours.

– Alberto affirmait que les oiseaux ont de l'estime pour les étoiles. Moi, je cousais des robes; une vedette de cinéma doit être bien vêtue. Alberto avait un concurrent qu'il ne connaissait pas, c'était Hollywood. J'ai toujours eu l'âme gelée, c'est ça ma véritable infirmité, et même l'amour d'Alberto ne ravivait pas assez de chaleur. Dans les films, on fait ce qu'on veut des années, des maisons, des sentiments; moi, j'en aurais fait de la chaleur. J'avais vingt-deux ans lorsque j'ai entrepris de réaliser mon vœu le plus cher. J'ai envoyé ma photographie aux compagnies de cinéma. On m'a répondu que mon nom figurait sur une liste d'attente. Presque à chaque semaine, la postière me remettait une lettre venue d'Hollywood. Je collectionnais les photographies d'acteurs et des informations sur eux. La postière a proclamé partout à Bonaventure qu'Hollywood s'intéressait à moi, que j'étais à la veille d'être une star consacrée. La population entière de Bonaventure s'est mise à languir après la lettre décisive qui changerait ma destinée. C'est dur d'espérer quatre mille sept cent quarante-cinq jours d'affilée. La lettre décisive n'est jamais parvenue au bureau de poste. Quatre mille sept cent quarante-cinq jours à me répéter, le soir, le lieu de naissance des acteurs, la couleur de leurs yeux et de leurs cheveux, le titre de leurs films et cela avec une ville sur le dos, pensez-y, une ville qui déjà vous prend pour une vedette! On était poli avec moi, on accumulait les gentillesses. Mais les voisins et mes concitoyens avaient trop espéré avec moi; en 1942, ils se sont mis à plaisanter, à me surnommer «Fausse Espérance». Il a fallu l'ironie du sort pour qu'une de mes cousines m'emmène travailler avec elle à Montebello. Au *Seignory Club*, j'ai servi le repas à presque tous ceux dont le lieu de naissance m'était familier.

Puis Estelle désire que je mette le manteau bleu marine sur ses épaules. Elle se frotte les genoux; je place sur ceux-ci les découpes de velours. Souvent, notre tendresse se passe de mots.

* * *

Je l'ai bercée une heure dans le fauteuil. Il m'a semblé alors que la peau se faisait prétexte pour concevoir de la distance entre les cœurs, que j'étais elle et qu'elle était moi. Cette heure fut si vaste qu'elle nous cédait à un été imprévisible. Nous n'étions peut-être plus des femmes, nous étions peut-être des épinettes au feuillage remué par la brise, aux branches égarées dans le sauvage chant des oiseaux et se soulevant dans une forêt lumineuse. J'y découvrais un visage, le même, sur chaque chose. Moi, j'avais longtemps souhaité tenir ainsi mon père dans mes bras, m'en aller en rêve avec lui dans une forêt de juillet, et pouvoir entrer avec lui dans l'être lent des épinettes, pouvoir écouter longuement cette musique venue de juillet au moment où les oiseaux et les fleurs mêlent leurs voix d'air et de terre.

Le temps se diluait dans cette forêt, le temps n'avait pas de raison d'exister là où le corps se perd.

* * *

– Je vais manquer «Dynastie»!

Le présent revenu, Estelle se plaint d'avoir raté son rendez-vous avec Alexy et Krystel. Il est quatre heures. Je l'aperçois qui se refait une jeunesse, qui applique du fard sur ses
joues, du rouge sur ses lèvres de 2 juillet. On est toujours
fils ou fille du jour actuel redevenu notre origine, on dérive
dans le courant de ce jour avec une chair altérée, absolument
nouvelle, avec ce visage où naît une ride. C'est toujours la
première fois que l'on sourit, que l'on vit, la première fois
que l'air envahit nos poumons pendant que l'on guette le retour
d'obscurs alliés. J'étreins la main d'Estelle; j'applique du
vernis rose sur ses ongles.

Maurice nous rejoint. Demain, mardi, ils iront au manoir. Maurice va bientôt téléphoner au chauffeur de taxi et
lui annoncer les révélations d'Estelle. Celle-ci me sugère de
noter le nom d'espèces végétales de la vieille Europe, les
digitales, les fleurs de camomille, celles de la saponaire.

– Et les papillons italiens?

– Ton chauffeur de taxi, Maurice, devrait d'abord apprendre la langue du pays avant de se questionner sur les papillons
des autres nations!

Durant le souper, Estelle demande une tasse, une vitamine puis un synonyme de «pérennité». Maurice la félicite
de ses manières si propices à la royauté. Elle incline modes-
tement la tête. Il s'écrie soudain:

– Y a rien qui va me faire sortir d'ici, demain! Les pensionnaires du manoir arrêtent pas de se lamenter, ils ont pas
de belles manières comme toi, Estelle!

– Ici, nous sommes heureux, réplique-t-elle.

Ici, ça sonne faux quand, plus tard, après le rituel convenu avec Maurice, Estelle se met à lancer des cuillères dans
la poubelle et s'accroupit pour y chercher le 3 mai 1928. Elle

se relève. Elle veut attendre Alberto dans une grange, elle veut assassiner l'animal qui se promène de siècle en siècle, elle veut se faufiler parmi la foule rassemblée dans un cinéma où on projette un film dont elle est la vedette. Je lui parle de l'homme aux méléagrines, je lui dis ces mots, «éphéméride» et «labyrinthodon». Elle m'interrompt: «Avez-vous averti madame Thivierge de mes pourparlers avec l'éternité?»

Le monde nous échappe dans ce salon; nous lui donnons parfois le nom de madame Thivierge.

CHAPITRE 6

Les mains jointes sur sa poitrine, Maurice croit que son dernier moment est arrivé. Je rafraîchis son front et ses joues avec un peu d'eau tiède. Estelle dépose le portrait de Krystel sur l'une de ses épaules et chuchote qu'on n'avait pas le droit de se moquer ainsi de lui, au manoir. Cette journée du 3 juillet n'aurait pas dû recevoir son permis.

Maurice se plaint de l'engourdissement de ses mains. Son visage se couvre de plaques rouges. Pendant que je téléphone au médecin du CLSC, je l'entends bredouiller «Au secours!».

Maurice a frôlé une crise d'angine, conclut le médecin après l'avoir ausculté. Il lui prescrit des comprimés, lui conseille de se reposer. Ni ces paroles ni le départ du médecin n'apaisent Maurice, convaincu qu'une tempête songe à se fiancer avec lui. Saisissant les mains d'Estelle, il murmure:

– J'ai aimé rien qu'une personne au monde, c'est toi. Me pardonnes-tu?

– J'ai rien à te pardonner. T'es le meilleur des hommes.

Maurice l'examine longuement. Lui demande de pencher la nuque afin qu'il puisse caresser ses cheveux. Quelque chose risque de gêner ses allées et venues dans le royaume de Dieu; il doit s'en confesser à Estelle même si cette chose n'est qu'une, qu'une...

Il s'interrompt, interroge du regard Estelle qui précise:
– Une vétille.

– C'est ça, c'est ça, t'as toujours eu du vocabulaire en abondance! T'as toujours surpris l'humanité par ta majesté! J'peux pas me résigner à partir de l'autre bord sans t'avouer les vétilles que j'ai sur la conscience. Estelle, j'ai déjà pensé que t'avais été entraînée dans la luxure par Cary Grant, par Gary Cooper et le sénateur. Ta chasteté a pas son équivalent sur cette terre! C'est pas tout, la perruque que j'avais achetée quand t'as perdu tes cheveux, c'était la moins chère d'la gagne. Le pire, je l'ai gardé pour la fin. Te rappelles-tu que tes esprits retrouvaient pas le nord, c'était l'année du sénateur, et que je t'ai sauvée de la noyade? Le pire, c'est que je t'ai épargné la mort rien parce que je comptais sur les remerciements et sur la reconnaissance de Grace Kelly; j'voulais aller visiter Monaco avec toi, tu m'avais dit qu'elle t'avait invitée.

Estelle pardonne à Maurice de lui avoir expédié des lettres anonymes, signées «Le bel inconnu italien», à l'époque où le sénateur la courtisait.

– C'était pas la méchanceté qui me dictait un geste pareil! Tu voyais le mal nulle part, fallait quelqu'un pour te montrer les mauvais penchants de tes prétendants.

En l'absence d'un prêtre, Maurice s'en remet à moi, l'envoyée de Dieu, afin que sa confession générale soit conforme aux volontés de l'Église. Puis ses mains s'agrippent au collet de la robe d'Estelle.

– J'veux pas être privé de toi. Penses-tu que la liste a servi à rien, que j'vas mourir à soir?

Estelle tient longtemps dans la sienne la main de Maurice, le rassure:
– J'ai feuilleté les journaux. Au moins deux cents Mexi-

cains ont été victimes d'une éruption volcanique, cette nuit. La mort est trop occupée pour venir faire un tour par ici. Et puis, elle est trop polie, elle sait que tu n'as pas encore terminé ton autobiographie.

* * *

Maurice s'est endormi. Estelle s'allonge sur le divan-lit.

– Qu'est-ce que je ferais sans lui? La nuit, je n'aurais personne à qui chatouiller les orteils, avec qui déjeuner. Il n'y aurait plus de représentant du *Seignory Club* dans ma vie.

– Lorsque vous l'avez connu, était-il très beau?

– Il avait quarante et un ans, il était déjà presque chauve. Son visage ne sortait pas de l'ordinaire; Maurice n'est jamais sorti de l'ordinaire, sauf dans ses propos. Vous, vous êtes mon amie, n'est-ce pas? Vous ne me laisserez pas seule?

– Je vous aime beaucoup, madame Bilodeau.

Elle s'assoupit, une carte postale entre ses doigts crispés. Je pose sur des cintres les robes traînant par terre dans la garde-robe. J'imagine Estelle, certaines nuits, poudrant ses joues, rougissant ses lèvres avant d'entrer dignement dans la garde-robe comme, autrefois, elle s'introduisait dans la salle à dîner du *Seignory Club* où on lui disait qu'elle était belle et douce. Les couturières ont tendance à s'éveiller, la nuit, et à recoudre l'existence passée de leurs alliés.

Maurice m'interpelle en criant: «Venez dans ma chambre, je vas vous conter les terribles émotions qui m'ont valu une crise d'angine.» Je m'assois sur la chaise qu'il me désigne.

– Après le dîner, Estelle et moi, on s'est rendus dans la salle où les vieux jouent aux cartes. Je me suis décidé à utiliser le piano qui est là sans que personne y touche. J'ai expliqué d'abord aux vieux qui j'étais, un ancien membre de l'Orchestre philarmonique de Berlin. Ce qui les a impressionnés, c'est que Liberace m'avait déjà serré la main. Y m'ont applaudi. J'ai commencé à jouer. Vous me croirez peut-être pas mais j'ai eu alors une apparition! La Vierge Marie est descendue du ciel en mon honneur. Elle a flatté mes cheveux comme ma mère faisait quand j'étais jeune. Elle m'a parlé de la liste qui serait juste l'effet d'un péché d'orgueil. La Vierge Marie considère que la mort fait partie des règlements catholiques et qu'Estelle et moi, on a manqué de modestie. La malédiction divine allait s'abattre sur moi, c'était mon dernier récital, c'était la raison de son déplacement. Après les premières notes de la *Sonate à la lune*, je me suis levé pour présenter ma requête à la Vierge Marie: «Pouvez-vous avertir le bon Dieu que j'suis pas prêt à m'en aller dans les parages de sa bonté infinie? Je peux pas abandonner Estelle sans secours officiel. Qui va y acheter des vitamines pour qu'elle retrouve ses esprits? Qui va la renseigner sur l'heure qu'il est? Moi, je me suis dévoué à la cause de Dieu avec une piété inégalable; j'ai composé un concerto destiné à chanter sa gloire. J'ai même entrepris de convertir les hérétiques du *Seignory Club*.» Au royaume de Dieu, y semble qu'on ait mal compris nos intentions; nos huit semaines de lecture des journaux ont été vues comme une offense à la Providence. Malgré que la Vierge ait rencontré le Christ tous les jours pour diminuer son courroux, tout ce qu'elle a pu obtenir, c'est que mon péché me soye pardonné à condition que je pénètre aujourd'hui même au paradis, dans un état d'humilité incomparable, tout nu comme un ver de terre… C'est gênant, je peux vous l'assurer, de se déshabiller devant la Vierge. J'ai enlevé la veste de mon habit, je me suis penché pour ôter mes souliers et mes bas. Et j'ai déboutonné ma chemise, je l'ai lancée sur le plancher, j'ai aussi enlevé mon pantalon et ma camisole. Je voulais garder mon slip et mon scapulaire. J'ai relevé la tête afin de rapporter mon désarroi à la Vierge mais, devant moi, y restait seulement les vieux qui riaient en se tapant les cuisses.

Maurice reprend sa respiration avant de continuer.

– L'animateur m'a tendu mes vêtements, m'a aidé à me rhabiller. Il a lacé mes souliers. Il a mentionné que j'avais eu une absence. J'avais l'impression de rapetisser; la salle était prise de la même maladie, elle était beaucoup plus petite qu'à mon arrivée. C'était plein de murmures autour de moi quand je suis allé m'asseoir à côté d'Estelle. Vous écrirez ça dans ma biographie: y a un phénomène inquiétant à mon âge, on dirait que les salles se donnent beaucoup de troubles pour s'ajuster à la grandeur de mes malheurs, pis, par après, elles ont des distractions et m'oublient dans ce qu'y a de plus petit. En tout cas, Estelle voulait que, dans l'adversité, on fasse la preuve de notre éducation. Avant de partir, elle a serré la main de chacun des vieux. Elle a remis l'humanité à sa place en inclinant la tête comme font les célébrités, pis en regardant les vieux et en s'exclamant: «Quelle journée exceptionnelle!» Elle m'a guidé vers la porte en me conseillant de me tenir ben droit. Je me suis comporté solennellement jusqu'à ce que mon cœur se débatte comme un fou.

Il s'arrête, me demande ensuite de jurer que je suis son amie autant que celle d'Estelle. Que je protège sa biographie de l'indiscrétion d'Alma et de Georgette, sa sœur à qui il va téléphoner pour lui apprendre qu'il a été foudroyé par une crise cardiaque, au début de l'après-midi. En fait, il appelle plutôt le chauffeur de taxi qu'il charge d'acheter des choses italiennes.

* * *

131

J'époussette les bibelots sur la commode. Maurice dort maintenant. Estelle, éveillée, chuchote qu'il fait froid. Je lui apporte son manteau et du jus d'orange. Elle craint que je casse la tasse. L'animal du manoir lui paraît être l'un des effets personnels de cette calamité qui va détruire ses mœurs. Cette calamité a incommodé Maurice après le dîner. Maurice a trop de religion, sa détresse l'a muni de l'illusion de contempler la Vierge. Je dépose sur le divan-lit le tricot rouge qu'elle va achever bientôt.

— Avez-vous déjà eu quatre-vingt-deux ans?

— C'est possible.

— Avez-vous encore quatre-vingt-deux ans?

— Oui, parce que je me mets à votre place.

— Donc, vous devez comprendre que je vais revoir Alberto incessamment et que je lui offrirai le gilet.

Elle tourne et retourne entre ses mains le tricot. Nous sommes si confuses, si dévêtues de nous-mêmes, nous élançant à la recherche de celui qui filait comme un oiseau sur la patinoire de Bonaventure, que nous disons: «Il avait les cheveux blonds, il avait les yeux bruns.» Nous nous trompons, nous avons quatre-vingt-deux ans et nous songeons à des ciels menaçants, à des chambres exiguës, à des sacs de plastique noir où nous avons jeté cet avant-midi des coquetteries d'autrefois, peut-être nos foulards, nos parapluies, nos chapeaux à voilette. Nous disposons d'abris d'une seule syllabe lorsque nous cherchons ce qu'il y a de plus important au monde, la nuit, le jour, la vie, la mort, notre corps, notre temps. Ce qui est véritablement important ne demeure qu'une seconde sur nos lèvres tandis que le monde s'avance vers nous, débordant de cette indifférence qui se prépare à avaler notre souffle et notre visage.

Estelle se frotte les genoux. Elle ne parvient à les sauvegarder que grâce à des oiseaux de velours. Maurice vient d'entrer dans le salon et effleure les cheveux clairsemés d'Estelle; il ouvre le téléviseur en claironnant que nous sommes heureux.

* * *

Le chauffeur de taxi me remet une chose italienne et s'éclipse aussitôt. Estelle frôle la boîte.

– Maurice a un secret. Moi aussi, j'ai un secret, les lettres et les cartes postales de Grace Kelly. C'est pour ça que je vous ai interdit de laver ma taie d'oreiller.

En 1958, le gérant du *Seignory Club* avait fait d'Estelle la préposée au bien-être des gouvernants de Monaco. Le premier après-midi de leur séjour, c'était en été, Grace Kelly avait invité Estelle à s'asseoir avec elle, après le départ du prince. Visiblement, elle s'ennuyait et désirait bavarder avec quelqu'un. Elle lui avait d'abord demandé son âge. Estelle lui avait répondu qu'elle avait cinquante ans. Estelle ajoute que la princesse avait dit: «Moi, j'ai vingt-huit ans. Mon mari se préoccupe de la Société des Bains de mer dont dépend son royaume. Il y a de ça trois ans, j'interprétais le rôle d'une princesse dans un film, *Le Cygne*; je portais une robe ornée de centaines de camélias. Les événements m'ont bousculée. Depuis le jour de mon mariage, je reçois chez moi des ambassadeurs, des rois et des premiers ministres. C'est étourdissant. Vous me ressemblez, est-ce qu'on vous l'a signalé?» Estelle l'écoutait avidement. Elle vivait un conte de fées, se trouvait à la même table que la comédienne qui avait été la partenaire de Gary Cooper, Cary Grant, Bing Crosby, James Stewart, William Holden et Clark Gable. Elle avait rétorqué en bégayant qu'elle-même pratiquait le métier d'hôtesse tout en attendant la plus illustre des inconnues, la liberté.

Grace Kelly avait pris sa main puis avait affirmé que la liberté avait tant de doublures qu'elle s'en méfiait un peu. Leur amitié avait commencé ainsi.

Les mondanités absorbaient la princesse et le prince; le soir, à dix heures, la princesse réservait une demi-heure à l'échange de confidences avec Estelle.

Alors, elles riaient. Grace Kelly croyait que le rire amnistie les difficultés. Elle aurait souhaité être une bergère. La problématique des familles royales l'accablait; Estelle lui avait parlé de la bête noire problématique qui la dérangeait parfois, et le mot avait plu à Grace qui le glissait en manière de clin d'œil dans leurs conversations.

Elles s'étaient reconnues dès leur premier regard, chacune exprimant l'autre à son insu. La similitude de leurs gestes et, surtout, cette habitude commune qu'elles avaient de donner la bonne réponse sans pour autant abdiquer, les avaient liées l'une à l'autre. «Dans une certaine mesure, nous étions jumelles», insiste Estelle. Elles partageaient les mêmes alliés, elles avaient le même cœur usé par une Altesse Sérénissime tyrannique, le temps passant trop vite.

Le dernier soir, Grace lui avait offert un berger et une bergère de porcelaine. Elles avaient convenu de s'écrire, de se procurer des abris dans des mots qu'évitent prudemment les ambassadeurs.

Une domestique avait posé deux chandeliers et une bouteille de vin sur un bureau. Grace Kelly avait versé du vin dans deux coupes. Estelle tremblait en buvant. Dans un conte de fées, la femme la plus distinguée de l'univers lui assurait qu'elle serait la bienvenue à Monaco. Cette femme l'honorait de son éternelle amitié. Personne ne lui enlèverait jamais ça, ces minutes pendant lesquelles, à la lueur des chandelles, une vedette de cinéma devenue princesse la traitait avec déférence, avec chaleur. Et cette femme s'avouait heureuse de ne plus être seule; elle possédait un royaume, un palais, mais cette femme avouait que désormais, elle guetterait impatiemment ses lettres. Elles avaient souri avant de se quitter.

Estelle avait appris par la radio la mort de son amie, le 13 septembre 1982.

Actuellement, est-ce le jour ou la nuit? Quelqu'un ayant connu personnellement Grace Kelly ne peut être condamné à une telle déchéance, vieillir, déménager. Maurice sort de sa chambre en criant: «Estelle, as-tu pris ma biographie?» Elle secoue la tête. Il m'examine.

– Ça peut être rien que vous! Je vous ai laissée me déposséder parce que vous m'avez proposé de copier mes mémoires. Là, me voler ma biographie, vous dépassez les bornes! J'vas avertir la police!

Estelle se poudre les joues, s'observe dans le miroir de son fardier. Maurice téléphone au pharmacien. On vient de lui voler sa vie. La femme du CLSC mérite les supplices de l'enfer. Ma douce Estelle se lève et fait tomber le manuscrit de Maurice sur le plancher. À la dérobée, je cache celui-ci sous le matelas de Maurice.

Confondu par le miracle qui vient de s'accomplir, il tient à ce que je m'agenouille avec lui pour remercier le ciel. Nous revenons ensuite dans le salon où Estelle, feuilletant un journal, nous apprend l'explosion d'un avion, hier, le 5 juillet.

– Cent soixante morts d'un coup, tu manqueras pas d'ouvrage, ta liste va prendre de l'ampleur.

– Ce n'est pas ma liste, c'est notre liste.

– Non, moi, je démissionne de tes péchés d'orgueil; je

veux pas être un outrage vivant à la volonté divine.

Estelle redresse fièrement la tête en concluant:

– Si c'est comme ça, Maurice, je continuerai avec Josée. Le chauffeur de taxi t'a apporté quelque chose, à midi.

Maurice retire d'une boîte une statuette.

– Regarde, Estelle, c'est le Christ lui-même, le Christ importé d'Italie! C'est marqué sur la base de la statue!

Maurice, la statuette collée contre sa poitrine, est retourné se coucher. Estelle me recommande de découper les articles de journaux indispensables à notre entreprise. Puis je collige dans un carnet les coordonnées des plus récents assassinés et suicidés québécois. Estelle évoque les circonstances de leur décès, s'interrompt et se frotte les poignets qu'elle appelle des ronds. Elle se frotte aussi les genoux. Elle dit que le silence va l'avaler au grand complet tandis qu'elle frôle des oiseaux de velours. Pour ne pas être veuve de tous les mots, elle ne cesse de m'interroger.

– Êtes-vous mon alliée? Avez-vous cassé la tasse? Avez-vous quatre-vingt-deux ans? Est-ce que c'est le jour ou la nuit?

Les réponses importent peu. Estelle aligne les questions à la façon d'une alpiniste épuisée, incertaine de la conquête d'un territoire dont chaque recoin lui semble friable. Elle s'endort en marmonnant des paroles adressées à madame Thivierge.

* * *

J'ai balayé. Maurice survient, désireux de profiter du sommeil d'Estelle pour me dicter sa «biographie».

– Je suis rendu où, dans ma vie?

– Vous êtes allé à Berlin et vous avez été membre de

l'orchestre philarmonique jusqu'à la fin d'avril 1935.

– Je me rappelle. Le pire est pas arrivé. Malgré les restrictions qui pesaient sur sa paternité, mon père légal m'a pourchassé dans tout Montréal.

Il boit un café et poursuit en criant, au risque de réveiller Estelle:

De 1935 à 1940, mon père a pas arrêté de m'achaler avec son fantôme. C'était pas un fantôme ordinaire, il me faisait chanter. Séduire les beautés du Val d'Or Grill *où je travaillais, c'était son objectif, et il me déléguait pour parvenir à ses fins. Par-dessus le marché, mon père avait des contacts dans la mafia des morts. Les saints traînent leur passé derrière eux autres et mon père était si ben entouré de saint Paul, Barrabas et saint Augustin que j'aurais mangé une volée si j'avais pas obéi à ses sermons.*

Pour satisfaire la volonté de mon père, je caressais les cheveux des belles femmes et je leur disais que j'étais enthousiasmé par l'œuvre de Dieu dans leur personne. C'étaient en général de tristes orphelines entraînées dans le vice par la peur et par la pauvreté. Elles appréciaient que je me jette pas sur elles comme un perdu et que je m'inquiète de leurs afflictions.

Mon père légal, lui, en exigeait plus, y me radotait l'argument de saint Paul et de Barrabas parce que je ne consommais pas l'impureté de ses intentions. J'ai réussi à faire patienter cinq ans le fantôme mécontent de mon père en y promettant que ça serait pour le lendemain, la réalisation de ses aspirations.

J'approchais de mes quarante-deux ans quand, en février 1940, une femme ressemblant étrangement à ma mère a chambardé mon existence. Elle sentait aussi la lavande comme ma mère qui avait contracté la coutume de se parfu-

mer à cause des goûts élevés du chanoine. Cette femme ti-
rait pas sa réalité de l'engeance des fantômes, elle m'a pincé
la joue en murmurant: "Mon petit Maurice, tu perds ton temps
ici. Les millionnaires du Seignory Club louangeraient ton
talent. Pis on sait jamais, t'aurais peut-être la chance d'épou-
ser une héritière comme le pianiste du trio qui jouait à l'hôtel
jusqu'à la semaine dernière."

J'ai fait ma première apparition au Seignory Club, trois
jours après. Les millionnaires se sont levés pour m'applau-
dir à la fin de la soirée. Ce sont des amateurs de perfection.
Le deuxième soir, j'ai interprété pour eux les concertos qui
sont de mon invention. Mon père, incapable de supporter la
béatitude de leurs sourires et de leurs manières, a disparu.
Moi, j'ai commencé à faire la cour aux riches héritières qui
venaient parfois dans ma chambre sans que leur intégrité soit
menacée. En l'année 1941, Liberace m'a serré la main. Expressément pour lui, j'ai joué le plus merveilleux de mes concertos, celui sur les morts américains. Liberace, qui était sous
le choc de l'admiration, m'a supplié de le suivre aux États-
Unis. Après une journée de méditation, j'ai expliqué à Liberace
qu'au Seignory Club, j'avais ma chambre gratuite, des rapports bénis avec la crème de l'humanité et qu'au-delà de ces
considérations, j'étais plus porté à vénérer la sagesse de Dieu
que les attributs des grandes capitales. Liberace était ému
jusqu'aux larmes, et moi avec. Il m'a remis sa carte d'affaires. Mon humilité aurait pu engendrer ma perte; heureusement, elle a toujours été contrebalancée par ma franchise.

* * *

Estelle, éveillée depuis quelques secondes, écoute et
sourit. Maurice s'en rend compte et s'écrie: «On reprendra

ma vie la semaine prochaine!» Il me demande ensuite de couper les poils blancs qui dépassent de ses narines.

Estelle se frotte les poignets et les genoux. Dans le temps où sa chair ne s'éloignait pas des mots convenables, elle n'avait pas à recourir à des oiseaux de velours. Elle ouvre le téléviseur et prévient Maurice de venir assister au meurtre prémédité par Alexy. Assise près de lui sur le rebord du divan-lit, elle lui chuchote qu'une lueur d'extase maléfique brille dans les yeux d'Alexy. Elle ajoute, après avoir vérifié quel mot a été tracé au crayon-feutre sur la pièce de velours posée sur son genou, qu'une lassitude forcenée fait plier les genoux de Krystel. Elle commente chacun des gestes d'Alexy et de Krystel pour s'exercer à parler, pour se prouver qu'elle est encore l'hôtesse du royaume de son corps.

– Tu me comprends, Maurice?

– Certain, les vitamines t'aident à reprendre des forces!

Puis Estelle recouvre de ses mains celles de Maurice en affirmant: «Quelles jolies mains de pianiste tu as!»

CHAPITRE 7

Un buste de Verdi, une gravure de la ville de Florence, des soucoupes et des mouchoirs remis à Maurice par le chauffeur de taxi constituent les seules modifications subies par notre décor, depuis une semaine. Estelle et Maurice ne se rendent plus au manoir; l'incident survenu le 3 juillet a provoqué un réajustement des consignes du CLSC. Ces derniers jours, Estelle entretient des rapports plus harmonieux avec sa mémoire. Je défais deux rangées de mailles du gilet rouge pendant qu'Estelle prend la pose, une main sur ses faux cheveux, l'autre dépliée sur sa cuisse droite. Parfois, elle cherche à séduire le temps.

Elle se résout à bouger à deux heures, obéissant ainsi aux impératifs de la liste. Ce lundi 16 juillet, les journaux sont avares de victimes et d'assassins. Dans son monologue présumément commercial, Estelle s'attarde sur les vieux morts, évoque pour la première fois le décès d'Alberto.

Puis il semble qu'elle soit interrompue par l'arrivée de quelqu'un qu'elle invite à s'asseoir près d'elle sur le rebord du divan-lit. Elle se lève afin de lui offrir une tasse emplie aux trois quarts de vin dont je m'empare aussitôt. Et se rassoyant, elle dit tout en étreignant des mains fantômatiques: «Tu n'as pas changé. Tu te rappelles comme tu filais vite sur la patinoire? Tu étais si beau! Trouves-tu que j'ai vieilli?»

J'imagine que cet enchantement faisant chavirer ses traits en printemps de visage est causé par un Alberto rêvé à qui elle dissimule ses rides en se poudrant les joues. Elle s'excuse de sa tenue et murmure: «Tu te souviens du mois d'avril? Tu te souviens des méléagrines, des labyrinthodons et des éphémérides? Tu te souviens que tu m'aimais?»

Les doigts d'Estelle caressent un visage emprunté à une ancienne réalité. Elle s'exclame: «Ta peau est toujours douce!» Elle accomplit ensuite son devoir d'hôtesse en faisant visiter le salon à Alberto et en lui désignant chaque objet.

Demeurée à quelques pieds d'elle, je chaperonne Estelle et son fantôme. Elle m'aperçoit.

– Josée, je vous avais prévenue qu'il viendrait. Alberto, je te présente la femme du CLSC. Il y a une mouche dans cette chambre dont je vais t'épargner les impolitesses et la vantardise.

Estelle chuchote longuement avec son bien-aimé issu du souvenir. M'apprend qu'ils ont convenu de partir en voyage de noces comme ç'aurait dû être le cas, si ce n'avait été de cette interminable séparation. Elle sourit coquettement à Alberto avant de s'enfermer dans la salle de bains où je l'aide à enfiler sa robe verte. Je lui apporte aussi sa plus belle paire de souliers, sa plus belle perruque, son plus beau chapeau. Elle applique de nouveau de la poudre sur ses joues, elle se farde et rougit ses lèvres. Avant de quitter l'appartement, j'entrebâille la porte de la chambre de Maurice; il ronfle.

Dans la rue St-Laurent, derrière Estelle qui serre la main d'Alberto, je fais malgré moi office de demoiselle d'honneur. Estelle commente les fantaisies de la rue: «Mon amour, t'as pas vu la vie depuis longtemps, tu vas être surpris. Les humains s'habillent bizarrement. Et la délicatesse, malheureusement, n'a pas fait de progrès!» Estelle se hausse sur la pointe des pieds et embrasse Alberto sur la joue ou bien sur les lèvres; le revers de cette actualité brouillée contient des données dont j'ignore la teneur exacte. Toute à son bonheur, ma tendre et confuse vieille dame enlace la taille d'Alberto, soupire, chantonne, se tait, l'examine et redit: «Tu n'as pas changé!» Ravissante, elle affirme: «Ça pourrait être notre royaume, Montréal. Dieu n'existe presque plus; je me bats le soir contre lui; je lui ai volé presque tout son ciel. Tu pourrais rester à la maison, dans le salon, avec moi. Personne ne viendrait nous déranger. Josée est uniquement responsable de ma tranquillité; elle prépare mes repas, elle balaie et lave la vaisselle.»

Je propose à mon amie essoufflée de se reposer sur un banc. Elle en recommande autant à Alberto. Puis, tournée vers lui, elle dit: «Je t'aime, je t'ai tellement attendu! J'avais peur que tu m'aies oubliée, j'avais peur que tu me trouves vieillie en me revoyant. Tu sais, je pensais jamais obtenir cette faveur de pouvoir te montrer les gens de maintenant!»

Nous nous relevons. Nous marchons. Estelle signale à Alberto les fentes du trottoir négligé par les autorités de la ville qui ne s'inquiètent en rien de l'intégrité des vieillards. Elle éclate de rire en pointant du doigt les passants de la rue St-Denis:

– Alberto, ce sont eux, les gens de maintenant! Les jeunesses se teignent les cheveux en rouge, en mauve, ou se rasent le crâne. Leurs jeans sont déchirés, ils ont dû avoir affaire à des couturières inexpertes. N'est-ce pas qu'ils sont beaux comme nous, dans le temps? Je vas t'emmener dans un endroit extraordinaire, Alberto! Le métro, ça doit pas figurer dans les plans d'aménagement de l'éternité!

Estelle s'adresse à du vide nommé Alberto dans un wagon du métro, sans cesser de s'émerveiller à propos de cette machine stupéfiante qui va à une vitesse folle, sans se rendre compte de l'étonnement des hommes et des femmes qui l'épient. Je la protège, ma main sur son épaule. Nous descendons à Villa-Maria et refaisons ensuite le trajet en sens inverse.

De retour rue St-Denis, Estelle hésite devant un restaurant. Elle échappe son sac à main, trébuche et suggère qu'ils terminent leur voyage de noces dans le salon où ils pourraient manger des céréales mélangées à des biscuits Breton émiettés. Moi, je hèle un taxi car les demoiselles d'honneur se doivent d'être à la hauteur des rêves d'une vieille dame épuisée qui hante le jour tant convoité d'un 28 mai d'il y a longtemps.

En entrant dans l'appartement, Estelle s'est aussitôt allongée. Elle a prié Alberto de s'asseoir sur le rebord du divan-lit. Muette, elle a regardé son bien-aimé. Quelques secondes, elle ferme les yeux, murmure: «Une si belle journée! T'es tellement beau, Alberto, t'es tellement respectueux! Toi, tu me laisseras pas au monde du manoir?»

La seconde suivante, les yeux exorbités, elle me demande: «Où est allé Alberto?»

Je la vois errer dans la salle de bains, dans la cuisinette et dans la chambre de Maurice, je la vois se plier afin de vérifier si Alberto est caché sous le divan-lit. Elle ne veut pas admettre qu'il soit reparti, le cherche dans le garde-manger, dans le réfrigérateur. Je la vois qui sanglote en se frottant les genoux. Elle repousse les oiseaux de velours que je lui remets, se couche et s'endort en appelant Alberto. Maurice dort aussi, la bouche ouverte.

Je les observe souvent durant leur sommeil. Recroquevillés, leurs visages disparaissant sous les rides et les taches brunes, leurs jambes et leurs bras apaisés, littéralement niés par une couverture de crevasses, d'escarres et de cercles violacés, Estelle et Maurice perdent alors ces particularités qui les distinguent des autres. Il me semble que leurs corps deviennent des immensités silencieuses recevant la parente immensité silencieuse de l'univers qui se serait introduit en eux par leur bouche ouverte. Compromis par l'anonymat puissant de leur souffle léger, un rien, un battement d'ailes, ils volent au-dessus de champs de neige, de champs de blé, ils caressent de leurs longues silhouettes le flanc des montagnes, ils flottent dans le vert des arbres, dans le mauve du soir, parmi des fleurs créant une multitude soyeuse, ils s'élancent sur les vagues d'un océan, ayant conquis tout territoire promis au cœur humain. Il me semble alors qu'être un vieil homme ou une vieille femme assoupie exprime la plus ancestrale des allégeances. Je crois qu'Estelle et Maurice dorment dans l'espace sans limites, dans le temps sans restrictions où l'oubli consommé éveille une intimité inouïe avec la terre depuis toujours, avec la mer depuis toujours. Cela m'émeut. Estelle s'agite. Moi, je crois encore qu'elle s'engrosse de la première enfance des astres et des vents pendant qu'elle me demande le berger et la bergère de porcelaine.

À son tour, Maurice me réclame. Je lui masse le dos avec de l'Antiphlogistine. Puis il tire partie de cet intérêt d'Estelle pour les malheurs télévisés de Krystel afin de me dicter son autobiographie dans sa chambre.

Entre 1940 et 1943, les héritières passionnées du Seignory Club *déployaient leurs charmes pour m'attirer dans leurs filets. Je me montrais réservé. Elles venaient parfois dans ma chambre où je les faisais jurer, la main sur la Bible, qu'elles seraient d'accord pour mener avec moi une vie exemplaire* de sacrifices. En général, c'étaient des femmes occupées à satisfaire leurs appétits physiques. Moi, je voulais seulement leur âme, je voulais pas leur corps, ce qui avait le don de raccourcir mes histoires d'amour.

Je gardais espoir. Un musicien qui se destine à la perfection peut tomber sur un être d'exception. Quand Estelle, belle au-delà du convenable, est entrée à l'hôtel, en 1943, j'ai su qu'elle était l'élue de mes intentions. À partir de cet instant, je lui ai consacré mes loisirs. Sa mère était paralysée, une de ses sœurs avait le cancer. Les chagrins d'Estelle m'ont confirmé dans mon choix. Je la suivais comme son ombre. Le lundi, je lui proposais le mariage; elle me répondait chaque fois qu'un sort inéluctable pesait sur elle et que ça l'empêchait de prendre des décisions définitives.

Au fil des années, elle s'est changée en conseillère. Je continuais d'agréer les hommages des héritières. Estelle avait entrepris d'enrichir mon vocabulaire et m'enseignait les règles de la bienséance. Elle m'invitait à ne pas crier sur les toits que j'étais prodigieusement beau et que j'entretenais des rapports familiers avec Dieu. Estelle estimait que la Bible n'était pas un atout jouant en ma faveur. Très généreuse, elle me donnait même des leçons de séduction. Avec le secours d'Estelle, j'avais atteint dans les années cinquante des sommets effarants de distinction. Bing Crosby m'a serré la main, et ma renommée avait dépassé les frontières de Montebello.

J'avais d'la misère à mettre en pratique les leçons d'Estelle. Y arrivait nécessairement un moment où je me retrouvais coincé, dans ma chambre, entre une représentante de la chair et mes aspirations sacrées. J'expliquais à la femme que j'étais dévot et déçu par le flot d'erreurs commises par le corps humain, je mettais mon âme et ma vie à sa disposition, mais la femme, plus fortunée en dollars qu'en sagesse,

145

se moquait alors de moi. Ça me dérangeait pas trop; vous comprenez, le soir, je prenais ma revanche sur l'estrade; les ministres et les rois se laissaient bercer par les accents divins de mes interprétations. Trente ans d'applaudissements et de compliments, c'est pas négligeable! J'ai bénéficié de ça, une carrière éblouissante, et en plus, les maîtres du monde se courbaient devant moi dans le but de me remercier de la merveilleuse soirée qu'ils avaient passée.

Si Estelle me refusait chaque lundi, c'était pas par manque d'admiration. Elle avait peur d'être un monstre. C'était de famille, sa sœur Alma avait engendré un monstre. Je flattais ses cheveux quand elle me confiait sa tragique désolation. Elle m'en était reconnaissante; moi, je persistais à la demander officiellement en mariage chaque lundi. J'ai jamais abusé de son désespoir comme aurait fait n'importe qui. Un jour, elle a perdu ses cheveux; je lui ai offert une perruque et j'ai composé pour elle un concerto, À la dame de mes pensées.

À notre dernier lundi, au Seignory Club, *on a été tous les deux victimes de notre âge. J'avais soixante-douze ans, et Estelle, soixante-deux ans; le gérant entendait renouveler la jeunesse de son personnel. Devenir centenaire, ça allait exiger un gros vingt-huit ans. J'en suis pas revenu quand Estelle a accepté ma demande en ajoutant:* «Oui, ce serait peut-être bon de trouver un endroit tranquille où on serait à l'abri des infirmités du siècle.» *J'y ai pas caché que je voulais juste son âme. Elle considérait que c'était pas un inconvénient.*

Maurice me sourit. Il assure que j'aurais dû le contempler, à son apogée. Il secoue la tête. Déjà, à son apogée, il était aux prises avec un énorme problème.

– J'ai pas réussi à être le Mozart que ma mère souhaitait. Je m'admettais pas, je conservais des réticences à mon égard. Il y a un clown qui agit à ma place, des fois, et j'ai pas le pouvoir de contrôler ses agissements. J'ai souvent cru que j'étais un tas d'espérances sans fondement. Depuis mon enfance, je suis en chicane avec le clown que je fais semblant d'ignorer en récitant mon chapelet. Je suis toujours à essayer de démêler la part du clown et ma propre part dans mon accomplissement. «Accomplissement», c'est un mot qu'Estelle m'a appris.

La nuque penchée, Maurice examine ses doigts et murmure:

– Parlez-pas du clown à qui que ce soit. La religion m'interdit de m'étendre en médisances sur ce sujet.

J'allume deux chandelles. Je chuchote à Maurice qu'il est un garçon sérieux. Il décoiffe mes cheveux. Je suis sa mère, je suis la seule à deviner qu'un clown masque sa véritable nature. J'embrasse ensuite Maurice sur chaque joue; j'éteins les chandelles mais il craint de mourir en dormant et me retient par la main. Je l'embrasse de nouveau avant de quitter la chambre.

* * *

Estelle plaint la pauvre Krystel qui a failli choir tantôt dans un piège de la séduction. Alexy, sa pire ennemie, avait tout manigancé et lui avait présenté un jeune homme. Elle me dit: «Wer weisst das?» Elle remarque: «Cette expression vous est peut-être inconnue. C'est un piège, plus exactement une partie de ce piège allemand conçu en prévision de mes rencontres avec des stars, dans le temps du *Seignory Club*. Cette expression signifie "Qui le sait?". À trente-cinq ans, à quarante ans, j'étais encore une jolie femme, vous savez.»

Elle s'observe dans le miroir de son poudrier; elle se farde les joues et rougit ses lèvres avant de poursuivre:

– J'avais des difficultés avec mon âme obstinément gelée et j'attendais un grand amour lumineux. Dans ma naïveté, je songeais que les lumières de Hollywood devaient briller à travers celui qui serait mon bien-aimé. Vous savez, j'avais confectionné plusieurs pièges pour conquérir quelqu'un d'illustre réputation. Mes pièges comportaient certains changements de nationalité. Les vedettes sont des personnalités impressionnables; elles étaient intriguées par la phrase étrangère que je ne prononçais pas à la légère. Gary Cooper avait eu droit au piège italien; je lui avais posé la question «Chi lo sa?» et j'avais souri comme Anna Magnani. Pour Cary Grant, j'avais fait usage du piège espagnol en lui demandant «¿Quién sabe?» et en empruntant à Ava Garner son sourire de fausse Espagnole dans un film. C'était comme ça, je m'inventais des sourires en faisant confiance à des actrices. Ça ne durait habituellement qu'une semaine. Ils me disaient que j'étais belle, que j'étais douce et ils m'offraient des fleurs. Au bout de la semaine, ils s'évaporaient en me remettant une photographie dédicacée et ils me promettaient invariablement de ne pas m'oublier. Lorsque c'était fini, le souvenir d'Alberto m'assaillait et une vague de honte m'enlevait le respect que j'avais pour moi. Le moment de leur départ m'obligeait à revenir en face de moi-même sans Ava Garner, sans Anna Magnani, sans Ingrid Bergman, sans Katharine Hepburn, toutes ces comédiennes que j'avais imaginé être durant la semaine. Alors, je doutais de moi jusqu'à perdre notion de qui j'étais. L'ultime tentative de séduction, ce fut en 1960; j'avais cinquante-deux ans, je n'en paraissais que quarante. J'ai eu recours devant Bing Crosby au piège allemand. Je lui ai avoué «Wer weisst das?» et j'ai souri comme Marlene Dietrich. Bing

Crosby n'a pas été plus original que ses prédécesseurs. Lui aussi, avant de partir, m'a donné sa photographie dédicacée en me promettant qu'il ne m'oublierait pas et qu'il m'écrirait. J'ai guetté en vain l'arrivée du facteur pendant six mois. En octobre, un sénateur de la Californie s'est entiché de moi; il avait cinquante-neuf ans et la veille de son départ, il m'a soumis son projet d'épousailles. Il habitait une maison de cent pièces à Los Angeles; nous aurions vingt domestiques à notre service. En pensant que le bonheur serait peut-être californien, je me suis mise à sourire comme Katharine Hepburn et j'ai aussitôt répondu au sénateur qu'un sort inéluctable pesait sur moi. Ce soir-là, j'ai crié à pleins poumons dans l'obscurité de ma chambre: «Qui sait que je suis en train de sombrer en attendant une lettre?» J'avais désappris qui j'étais. Le matin, je ne voulais pas le voir, je voulais noyer ma naïveté, mon déshonneur et tout ce qui faisait de moi une abonnée à la célébrité. Je me suis jetée dans le lac. L'ironie du sort s'est manifestée doublement: Maurice m'a sauvée et le sénateur avait laissé un cadeau pour moi au gérant, un berger et une bergère de porcelaine, ainsi que l'avait fait Grace Kelly. L'un des deux couples a été cassé lors de notre déménagement à Montréal.

En bavardant, Estelle a retiré les photographies des comédiens de sa taie d'oreiller. Elle les étale sur le drap. Elle affirme que, maintenant, la plupart d'entre eux sont décédés et qu'ils doivent s'affairer à réparer le mal causé. Ils sont ses alliés quand reparaît l'heure de se battre contre Dieu.

* * *

Je délaisse Estelle afin de préparer le repas. Tandis que le bouillon de poulet mijote, je vais nettoyer la cuvette des toilettes. J'entends des bruits de pas. Estelle m'annonce que Maurice est vivant, elle a vérifié. Un peu plus tard, je découpe des tranches de poulet lorsque Maurice entre dans le salon en hurlant: «Le fils de Dieu est disparu!»

– Comment ça, quel fils de Dieu?

– Celui qui vient d'Italie, la statue que le chauffeur de taxi m'a livrée!

Il m'examine longuement.

– Vous êtes un cas de prison! Vous avez l'air d'une démonne excommuniée par l'Église! C'est vous qui m'avez volé ma statue!

Ses lèvres sont de la même couleur que son pyjama. Bleues. Ses joues sont de la même couleur que les épilobes au mois d'août. Mauves. Je m'accroche à d'infimes détails afin de demeurer impassible, afin d'enfermer ma colère dans mes yeux. Je regarde Maurice. Il se met à reculer et se répand en gémissements.

– Excusez-moi, ce n'est pas de votre faute, ça peut être rien qu'une erreur de ma part.

Puis le repas se prolonge, ponctué par les hochements de tête et les certitudes de Maurice. Nous sommes heureux. Estelle reprend des forces depuis que je m'occupe si bien d'eux.

Après avoir noté les cotes de la Bourse et téléphoné au chauffeur de taxi, Maurice va se coucher. Estelle, les yeux fermés, me demande l'heure à trois reprises.

À sept heures trente, elle se rend dans la salle de bains. Le fracas d'un objet lancé violemment par terre rompt le silence. Elle m'appelle: «Vous balaierez. Le fils de Dieu a eu un accident.» Elle boit ensuite un verre de vin.

* * *

150

Maurice et Estelle ronflent actuellement. Assise sur le fauteuil, je me surveille pareillement aux témoins qui refusent de s'écouter, sinon ils empliraient d'éternité un vieil homme et une vieille femme assoupis.

J'ai peur de moi. Je les quitte sans me retourner. Leurs démêlés avec des objets devenus Dieu ou l'Italie m'exaspèrent. Je n'ai pas eu le courage de leur remettre cette lettre du CLSC qu'ils ont reçue ce midi; il s'agit de la confirmation officielle de la date du déménagement, le 4 septembre. L'infirmière m'avait prévenue.

CHAPITRE 8

Ce mardi 17 juillet, Estelle avait les lèvres au sourire et son corps s'adonnait avec le beau temps. Elle s'était vêtue de la robe de Cary Grant expressément pour plaire à Maurice. Son souci habituel de l'élégance la faisait se détourner et contrôler dans une glace la grâce aérienne de sa démarche. Elle a entrouvert à quelques reprises la porte de la chambre de Maurice.

Celui-ci tardait à s'éveiller. Elle s'est lancée avec plaisir dans l'évocation des mots qu'elle avait autrefois inscrits dans les cases blanches de revues. Elle disait «estivage», elle disait «polysémie», puis m'expliquait, pour le seul plaisir de bavarder noblement, que les fugitifs transports du soleil sur les choses de l'été l'avaient souvent apaisée, même quand les infirmes du siècle s'avéraient fort encombrants.

Elle a haussé la voix sans résultat. Je lui ai suggéré de feuilleter les journaux avec moi; elle a répliqué qu'elle n'était pas en veine d'immortalité. Le bruit d'une lampe renversée l'a fait soupirer d'aise. Maurice est enfin apparu. Debout, en face d'Estelle, il s'est exclamé: «As-tu passé une commande au bon Dieu? T'as rajeuni de trente ans!»

Elle est parvenue à glisser deux fois le mot «méléagrine»

en lui demandant comment il avait dormi, ce qui n'est pas un mince exploit. Il a voulu savoir si cette Méléagrine était une Italienne trépassée durant la nuit et si son nom figurait maintenant sur la liste. Estelle a ri, a exigé qu'il ferme les yeux: «J'ai une surprise pour toi.»

Maurice attendait pendant qu'Estelle saisissait un objet dissimulé sous une pile de vêtements dans la garde-robe. Il a beaucoup hésité en palpant cet objet.

– Si mon pressentiment est de bonne qualité, je vas te rendre gloire tous les matins!

Il a ouvert les yeux. Débordant de remerciements, il pressait contre sa poitrine une sculpture de marbre. D'après lui, c'était l'équivalent du fils de Dieu, cette colombe qu'Estelle avait reçue de Grace Kelly et qu'elle lui avait offerte le 23 décembre 1960, alors qu'il pleurait sur la fin tragique de son frère Adrien. Ils avaient cru cette colombe définitivement égarée, en 1970, avec le déménagement. Maurice répétait: «Nous sommes heureux.» Il a ensuite coiffé Estelle. Il criait qu'il s'était confondu avec son ombre au *Seignory Club*. Il lui proposa une vitamine, une prière à saint Jude. Puis, stupéfait, s'écria: «Je vas redoubler de gratitude! Grace Kelly t'avait envoyé la colombe pour ton anniversaire, le 17 juillet.»

Estelle l'approuva. Estelle est née un 8 janvier; toutefois, je tiens d'elle que le début de l'histoire d'Arachné remonte au 17 juillet 1927. Maurice s'affaira dès lors à organiser les préparatifs de cet anniversaire discrètement annoncé par Estelle. Il recourut aux services du chauffeur de taxi et du pharmacien.

Ce fut au tour d'Estelle de fermer les yeux lorsque Maurice eut rassemblé les manifestations de sa reconnaissance envers celle qu'il appelait sa dulcinée, la responsable de l'enrichissement de son vocabulaire. Et les yeux d'Estelle brillèrent devant la robe lamée or, apportée par le chauffeur de taxi. Et je frôlais dans la pochette de ma chemisette cette lettre qui allait ébranler le cours de cette journée. Estelle éclata de rire en prenant les dix billets de loto censés la convertir en millionnaire.

Les traits d'Estelle étaient altérés par l'émotion de revenir vers les premiers moments de l'histoire d'Arachné. Ses joues rosissaient. Elle murmura qu'elle se souvenait de tout. Maurice nous montra les partitions de ses concertos, assurant qu'il avait fait ça pour le bonheur d'Estelle, pour la sanctification et la plus grande gloire d'Estelle.

Je les regardais. Ils étaient beaux. Ils étaient touchants. J'étais là à témoigner silencieusement de ce que la vie transforme rides et doigts tremblants en mouvantes forces de tendresse. Soudain, j'ai sursauté, j'étais affolée; le téléphone sonnait. Estelle m'a fait signe de rester assise. À un employé du CLSC, elle a signalé qu'il commettait une erreur; ici, c'était le domicile d'Arachné. Presque aussitôt, le téléphone a de nouveau sonné; je me suis précipitée afin d'assouvir la curiosité de la travailleuse sociale. Je n'ai dit que «oui, oui, bien sûr».

Maurice a repris ses partitions et est retourné dans sa chambre. J'ai allumé deux chandelles; je l'ai embrassé. J'allais souffler sur les chandelles quand il s'est agrippé à ma chemisette: «Je pense que la chambre ne veut plus de moi. Elle rapetisse, elle a l'intention de me jeter dehors. Les murs se tassent tellement que je me débats coincé entre eux autres, une véritable engeance de cercueil.»

Je l'ai rassuré; je veillais sur lui et j'accourrais si cela se reproduisait.

* * *

Estelle m'accueillit dans le salon en applaudissant. Elle me confia qu'Arachné lui avait permis de pénétrer dans l'intimité de Grace Kelly et que les preuves à l'appui abondaient; elle retira de sa taie d'oreiller une trentaine de lettres et des cartes postales. Elle allait m'honorer, moi, son alliée indéfectible, en me lisant des extraits des lettres que lui avait écrites la princesse.

Elle commença à lire:

Ce 12 novembre 1958, je viens d'avoir vingt-neuf ans. Mon cœur bat trop fort. Dans le palais aux pièces somptueuses, pas moins de trois cents, j'erre comme une âme en peine. Sur le paquebot qui m'amenait à Monaco, le 4 avril 1956, je n'apercevais pas la ville masquée par un épais brouillard. Il y a toujours du brouillard dans mon existence, ça n'a pas changé depuis. Savez-vous, ma tendre Estelle, que mon visage est figé dans l'éternel sourire qu'on attend de moi? Dans mon petit royaume, je fais mon possible pour que l'on m'aime, je donne la bonne réponse à chacun. Je me sens seule dans les yeux du prince et des Monégasques; je suis un reflet menacé de désolation dans ces yeux qui ne se rendent pas compte de cette élégance et de cette politesse que j'étale pour leur ultime satisfaction.

P.S.: Comment se porte votre rêve? Je respecte ma promesse.

Estelle plia soigneusement la lettre, parcourut rapidement du regard une seconde dont elle cita un passage:

Ici, ce n'est guère différent de Montebello, chaque jour est une prison. Que vous aviez raison, Estelle, ma sœur jumelle! Nous sommes, vous et moi, les proies d'élection de combats futiles. Avril 1959 ne m'a pas épargnée. Mon mari a résolu de dissoudre le Conseil national; des rumeurs circulent à l'effet que des navires français se dirigeraient vers Monaco, suite à l'opposition formelle du prince face au contrôle exercé par la France sur les compagnies de radiodiffusion et de télévision. La problématique des princesses désenchantées est source de mon accablement. Ma tendre amie, vous m'apprenez dans votre dernière lettre que vous avez été prise d'assaut, que la guerre vous a enlevé tous vos cheveux. Estelle, vous, la plus délicate et la plus douce des femmes, pourquoi craignez-vous d'être un monstre? Ne vous quittez pas, ne rejoignez pas votre bien-aimé. Songez à moi qui ai tant besoin de vous et de ces abris à plusieurs syllabes que vous m'accordez généreusement. Je suis votre conseil, je fais des mots croisés quand l'amour me déserte. Dans un avenir prochain, je laisserai mon prince à ses chimpanzés et j'irai interpréter à Hollywood le rôle le plus éblouissant de ma carrière.

P.S.: Je m'occupe de votre rêve dès que j'en ai le loisir.

Estelle releva la tête. Sa vue s'embrouillait. J'ai accepté de lire une troisième lettre, à l'endroit exact qu'elle m'avait indiqué.

Ma douce amie, la réalité n'a pas de cœur, pas plus à Monaco qu'ailleurs. Mon père est décédé le 20 juin 1960. Le plus illustre des chimpanzés de Monte-Carlo me trompe. De surcroît, je me promène dans les rues de la ville, surveillée assidûment par des hommes qui me protègent de la curiosité des journalistes et de la foule. Ma propre curiosité me dérange lorsque, dans ma chambre, je m'examine dans le miroir. Autrefois, j'étais belle. J'ai peur des rides, j'ai peur de perdre ma beauté. Le comble, c'est encore cette horde de ministres et d'ambassadeurs, des doublures de la liberté sans doute, que je rencontre dans le salon. Parfois, j'éclate d'un rire dément au milieu de cette assemblée, impatiente de chasser ces infirmes du siècle, empesés dans leurs hypocrites déclarations d'admiration. Votre rêve, Estelle, c'est de redonner un nom et une voix à la liberté; je continue à compléter la liste des oiseaux originaires d'Europe et d'Afrique, conformément à notre pacte.

J'ai remis à Estelle le feuillet sans lui mentionner que l'écriture de Grace Kelly était identique à la sienne, à cette différence qu'elle était moins tremblée. Je soupçonnais Estelle d'avoir rédigé elle-même ces lettres. Elle m'a parlé de sa sœur jumelle. Elles s'étaient cherchées toutes les deux dans l'extrême désarroi où elles se trouvaient, errantes dans des mouvements alourdis par des exigences superflues. Elles s'étaient fiées à ce qu'avait dit jadis Alberto afin de désamorcer la toute-puissance du superflu. Les oiseaux du monde entier peupleraient le royaume d'Arachné. Les oiseaux frôlaient les étoiles, ardentes à multiplier dans le ciel le jour renié. La liberté avait connu le même sort que les étoiles; elle s'était égarée dans le labyrinthe de milliers d'années, répétée par des milliers de bouches. La liberté ne savait plus d'où elle venait. Quelqu'un devait l'aider à retrouver son chemin. Quelqu'un devait atteindre le sommet de l'oubli et rapporter les propos de cette liberté échue aux oiseaux, en appelant tous ceux-ci par leur nom, en redisant avec chacun d'eux le poids de la naissance. On devient alors un oiseau, une seconde, on habite alors la légèreté de l'air, à la naissance, encore intouché par un chagrin, par un bonheur, par une humiliation. Estelle me souriait; son rêve avait pris racine dans les discours d'Alberto. Puis elle demanda: «Voulez-vous lire cette lettre?» Celle-ci était datée du 20 avril 1962.

Je veux absolument retourner à Hollywood et repren-dre ma carrière. Le producteur Spyros Skouras m'a suppliée d'interpréter le rôle de la Vierge dans La plus Grande His-toire jamais racontée. *Voilà sûrement l'un de ces contrecoups que me vaut mon attitude digne et réservée. Il y a également mon ami Hitchcock qui m'offre de jouer le personnage d'une voleuse, Marnie. Je serai cette Marnie ou une autre, mais pas cette Altesse Sérénissime pétrifiée dans une pose desti-née à un photographe. Ici, dans ce pays, il m'est interdit d'avoir des élans personnels; on me guette, on commente mes paroles et on relate mes gestes dans les journaux. Je fais de la broderie, je fais des mots croisés en soupirant. Le proto-cole qui n'a plus de secrets pour moi va bientôt voler en éclats, croyez-moi. J'en ai assez d'étouffer ma personnalité tumul-tueuse et de sacrifier ma vie pour des Monégasques et un prince qui ne m'en impose pas plus qu'une mouche. Ma chère Estelle, je pense à vous souvent. Vous n'êtes pas folle, vous n'êtes pas un monstre. Vos tracas sont causés par cette mul-titude d'avions ennemis qui ravagent le ciel.*

Estelle chuchota ensuite: «Il y en a trop, nous ne ferons pas de la lecture toute la journée.» Du paquet de lettres et de cartes postales qu'elle introduisit dans sa taie d'oreiller, glissa une carte postale tombant près du divan.
– Allez, elle va vous révéler mes défauts. Vous savez, je ne suis pas un ange.
Je lus à voix haute:

Votre Maurice a décidé de vous intenter un procès. Il vous accuse de l'empoisonner. J'ai fait part de vos difficul-

tés à Alfred Hitchcock; il m'a promis sa participation dans la préméditation d'une affaire criminelle sans précédent. Vous ne risquez rien. Crime parfait. Racontez-moi les émotions de votre mouche. Alfred a déjà mis sur papier un embryon de scénario.

Estelle m'a expliqué qu'en septembre 1970, Maurice lui avait ordonné maintes fois de réciter le chapelet avec lui, agenouillée devant un crucifix. Elle avait refusé. Il l'avait insultée. Pendant une semaine, elle n'avait pu résister à la tentation de mettre du poison, un peu, très peu, dans les galettes de steak haché de Maurice. Une fin d'après-midi, il l'avait surprise et avait hurlé: «Tu veux ma mort!» Par souci d'exactitude, elle avait répliqué: «Non, Maurice, je veux uniquement ton âme.»

Estelle haussa les épaules. «Maurice n'est pas un homme mauvais; il déguise ses tourments en cris déplacés.»

Elle s'est tue quand celui-ci est entré dans la pièce. Le téléphone a sonné. J'ai répondu «oui, oui, ça va» à la travailleuse sociale qui m'annonçait sa visite, le lendemain, en début d'après-midi.

* * *

Je devais leur donner la lettre du CLSC, je ne pouvais plus improviser de délais. Auparavant, j'ai murmuré vainement que je les aimais. Maurice a tremblé en déchiffrant la lettre; il l'a tendue à Estelle en grognant: «On va déménager le 4 septembre.» Estelle a repoussé la lettre. Maurice, installé près d'elle sur le rebord du divan-lit, assurait:

– On peut pas partir tout de suite; faut terminer la liste avant d'aller là-bas.

— Tu radotais que c'était un sacrilège.

— Ce qu'y a de plus sacrilège, c'est d'être expulsé de chez soi. À l'avenir, j'vas me méfier des signatures.

Estelle se frottait les genoux. Maurice se leva en maugréant que ça lui avait ôté la faim, ce CLSC mécréant, et qu'il allait dormir.

Puis, immobile devant son assiette, Estelle a longtemps attendu. Elle n'a pas mangé, s'est redressée, a jeté sa fourchette et son couteau dans la poubelle. Recroquevillée sur le divan-lit, elle serrait son oreiller contre sa poitrine. Maurice m'a interpellée à quatre ou cinq reprises; j'allumais les chandelles, je déclamais comme une marionnette que le danger allait reculer et j'éteignais dérisoirement les chandelles.

Les heures s'accumulaient dans l'appartement, silencieuses. Maurice et Estelle s'étaient endormis. Comme une marionnette, je nettoyais la vaisselle, je balayais, j'époussetais et je recommençais à balayer. Un gémissement de Maurice me tira de cette angoisse inqualifiable.

— Je me suis sali, c'est un accident!

Je l'aidai à se dévêtir. Maintenant nu dans le bain, il courbait la tête; ses paupières closes se crispèrent alors que je savonnais ses fesses. Fascinée, je regardais la peau de son dos et de ses fesses, sillonnée par cinq barres verticales, l'empreinte des cinq barreaux de cette chaise sur laquelle Maurice s'assoit habituellement. Je songeais à ce qu'il y a de plus insolite dans l'obéissance, ce huis clos de la peau avec le monde extérieur qui s'insinue lentement chez les vieilles gens jusqu'à laisser ses marques sur elles. Maurice, lui, disait qu'il s'était échappé, qu'il n'avait pas pu se retenir.

Après avoir enfilé son pyjama mauve, Maurice hésita. Sa chambre mijotait de sombres desseins, les murs rétrécissaient. En se dirigeant vers son lit, il se heurta à la commode.

– Vous êtes témoin, a rapetisse, je resterai pas dans une chambre assassine! Sauvez-moi! Faut que je sorte d'ici où c'est ben pire que dans les rues de Montréal!

Maurice s'agrippait à moi, il haletait. Il a jugé préférable de se coucher à côté d'Estelle. Le salon, heureusement, n'était pas un hérétique. En refermant la porte, à neuf heures, j'ai aperçu leurs silhouettes apaisées et j'ai souhaité qu'ils fussent vraiment des voyageurs dans un univers sans précisions, dans un temps sans restrictions, à cette seconde où la mort s'avance dans un salon, persuadée de creuser incessamment une fosse dans le clair-obscur de la peau, prête à ajouter sa propre indifférence à celle des jours qui passent.

* * *

Le mercredi 18 juillet, la travailleuse sociale pénétra dans le salon, croyant s'être trompé de planète. Maurice et Estelle, accroupis par terre, découpaient des photographies et des articles de journaux. Maurice venait d'indiquer à Estelle que la victime de l'avenue Haig avait les cheveux bruns et les yeux verts.

– Qu'est-ce que vous tramez avec les victimes de l'avenue Haig?

Estelle rétorqua:

– Ça ne vous concerne pas, madame la travailleuse sociale. Josée, rangez les journaux sur le comptoir. Quand le dérangement social sera disparu, nous retournerons à nos préoccupations.

Tassés l'un près de l'autre sur le rebord du divan-lit, Estelle et Maurice faisaient face à madame Corneau, assise près de la table. Celle-ci affirma: «On peinture actuellement les chambres en vue de votre déménagement.» Et Maurice cria:

– S'en aller, est-ce que c'est une obligation? Ici, c'est chez nous depuis vingt ans.

– Monsieur Tremblay, vous m'avez autorisée à effectuer les démarches légales. On va décorer les murs avec de belles gravures.

Estelle souffla à Maurice: «Demande-lui si "on" se rend compte que nous ne sommes pas des enfants.» Maurice, en écho, reprit: «On n'est pas des enfants. Estelle pis moi, on apprécie notre tranquillité.»

Maurice et madame Corneau discutèrent, parfois interrompus par Estelle à qui Maurice servait d'intermédiaire. Estelle mentionnait chaque fois ce chapeau posé de travers sur la tête de madame la travailleuse sociale. Madame Corneau ne portait pas ce chapeau qu'Estelle s'obstinait à inventer tout en s'adressant à Maurice. Elle s'impatientait.

– Je n'ai pas de chapeau! J'ai un nom et vous le connaissez!

– Autrefois, je me cherchais une âme dans le nom des autres.

– Vous êtes une drôle de personne!

Madame Corneau, à qui Estelle venait de transmettre le message suivant: «Voulait-elle être une star à vingt ans?», suggéra que l'on revînt à nos moutons. Estelle se fit un malin plaisir de l'informer qu'ici, il y avait des bêtes noires, des mouches et, à l'occasion, des chimpanzés, mais jamais de moutons. Dès lors, madame Corneau s'empêtra dans son discours.

– Monsieur Tremblay, votre veuve, euh, votre femme, est-elle en possession de tout son jugement? Vous saisissez, n'est-ce pas? C'est pour votre bien et ça presse, la déportation, excusez-moi, le déménagement au manoir.

J'accompagnai madame Corneau jusqu'à l'ascenseur. Elle

me pria de raisonner Estelle et Maurice, précisa encore qu'il fallait éliminer le superflu des armoires et de la garde-robe.

Estelle et Maurice, accroupis, se remirent à découper des photos et des articles de journaux. Estelle s'inquiétait toutefois de la tournure que prendrait l'immortalité si celle-ci était encadrée par les règlements du CLSC. Elle interrogea Maurice: «Te vois-tu éternellement condamné à marcher dans une chambre dont les dimensions décourageraient même ton Dieu, malgré son esprit de sacrifice?»

Ils ont ensuite parlé des vieux et des jeunes morts.

* * *

À partir du 19 juillet, «l'éternité laide à faire peur» devint le leitmotiv de leurs conversations. Maurice et Estelle entendaient reconquérir leur autonomie, avalaient souvent des vitamines et consultaient le dictionnaire afin de demeurer des interlocuteurs sérieux dans les circonstances éventuelles. Ils ne déménageraient pas. Ils sèmeraient la confusion chez les autorités du CLSC en faisant semblant d'obéir. Le 25 juillet, Estelle s'endimancha, cela parce qu'elle avait découvert le moyen de triompher du sort inéluctable. Elle invita Maurice à boire un verre de vin avec elle, lui dit: «Tes achats m'ont donné une idée. On va aller en Italie avec Josée. Tes économies nous le permettent. Qu'est-ce que t'en penses, Maurice?»

Il murmura: «Y avait rien que Dieu pour créer un être de ton envergure. As-tu assez de forces pour un tel déplacement?» Elle lui répondit qu'elle n'avait que quatre-vingt-deux ans et que ce serait merveilleux de visiter les villes de Rome et de Florence. Elle souriait. Elle se leva, caressa le crâne de Maurice; elle l'embrassa sur les joues et conclut: «C'est ton Christ qui serait étonné de te savoir au Vatican, son pays de prédilection.» Maurice se leva à son tour, serra Estelle dans ses bras.

Puis Estelle m'examina. Elle ne souriait plus.

– Ça dépend de vous, Josée. Moi, j'ai besoin d'une escorte qualifiée. Il arrive que les mots convenables me fassent défaut. Et Maurice, sans votre aide, ne pourra pas achever son autobiographie. Vous êtes notre amie, n'est-ce pas?

Elle me tendit la main. Des phrases affluèrent sur mes lèvres dont je ne contrôlais ni le débit ni la logique.

– Oui, j'irai avec vous deux. C'est certain. Oui, le manoir, ce n'est pas un endroit pour vous. Je comprends, je comprends.

Ils m'applaudirent, ils s'exclamèrent: «Nous sommes heureux.» Estelle versa du vin dans un troisième verre qu'elle appelait une tasse et qu'elle m'enjoignit de manipuler avec les précautions requises.

– Avez-vous un passeport?

Ma question les bouleversa. Estelle se mit à réfléchir. Il fut convenu, à la suite de cette longue méditation, qu'ils se présenteraient avec moi le lendemain à un bureau du ministère de l'Immigration. L'essentiel, c'était de ne pas alerter les employés du CLSC. Avant notre départ, Estelle et Maurice feraient l'acquisition de vêtements neufs. Quant à moi, je rencontrerais un agent de voyages.

Maurice et Estelle exultaient. Ils se rendirent sur le balcon et saluèrent les passants en agitant la main.

Trop de bonheur les avait épuisés. Estelle décréta qu'elle s'occuperait de la liste avec son bien-aimé, le surlendemain. C'était la première fois qu'elle nommait ainsi Maurice. Ils se sont allongés côte à côte sur le divan-lit.

J'ouvris les armoires, j'empilai sur le comptoir de la cuisinette des objets à remiser dans un sac à vidanges. Je venais d'entrer dans le rêve d'Estelle et de Maurice; ce «oui» que j'avais prononcé faisait de moi une complice dépassée par les événements.

* * *

Plus tard, Maurice, éveillé, m'a entraînée dans son ancienne chambre afin de poursuivre sa «biographie». Si les murs se complaisaient dans leurs prodiges d'étranglement, nous retournerions au salon. Il a tiré une chaise près de la porte, s'est assis là tandis que sur une autre chaise, je l'écoutais et colligeais son monologue.

J'ai rarement été le directeur de ma propre personne. J'étais obligé de surenchérir et de crier pour couvrir la voix du clown que j'abritais. D'ailleurs, j'étais condamné à me fusionner avec l'ombre des gens que je fréquentais pour ne pas laisser le champ libre au clown. J'ai longtemps été l'ombre de mon frère Adrien. En 1943, je me suis reviré vers Estelle. Dieu me soumettait à une redoutable épreuve; je devais m'accomplir dans un tumulte sans pareil. Les ombres, malgré leurs bonnes intentions, étaient sans défense et le clown agissait dans le monde comme leur porte-parole. Ça engendrait des malentendus qui ont compliqué mes rapports avec le genre humain.

En épousant Estelle en 1970, je voulais atteindre avec elle des sommets de perfection. Je voulais rendre gloire au Créateur avec elle et réciter le chapelet. Le malheur, c'est qu'Estelle est une hérésie vivante. C'est pas de sa faute, y avait des monstres dans sa famille et ses décisions étaient affectées par des malformations. Je renie pas sa bonté, remarquez. Pendant presque vingt ans, Estelle a veillé sur moi.

Elle faisait cuire les épinards et le steak haché à mon goût, elle achetait des biscuits Breton, elle faisait le ménage. Mais, par deux fois, la mort a brillé dans ses yeux. Au début de notre mariage, Estelle, dans son entêtement à être méritante en vocabulaire et en distinction, s'est objectée à la réalisation de mon bien-être national. J'étais pourtant pas exigeant. Les députés du Canada profitaient du bulletin de nouvelles pour nous apprendre qu'y se préoccupaient de notre sort. Je dictais à Estelle mes lettres aux députés; l'une de mes requêtes, c'était que l'Orchestre symphonique de Montréal interprète mes concertos. Je leur racontais aussi qu'aller dehors, c'était au-dessus de mes capacités. Estelle se moquait de moi; la mort s'est déclarée une première fois dans ses yeux; elle a dit alors, mot pour mot: «Le chapelet et les députés du fédéral gâcheront désormais ton existence, pas la mienne.» Estelle avait mal mesuré les proportions du bien-être national et on a vécu un mois en conformité avec le déchirement du pays; le salon appartenait à Estelle; elle m'apportait ma nourriture sur un cabaret dans la chambre dont je pouvais sortir, justifié par mes seuls besoins naturels. Les troubles du Québec avaient tellement envahi l'appartement que j'ai pas osé parler avec Estelle du poison qu'elle avait mis dans ma galette de steak haché.

Alma est venue à bout des convictions politiques d'Estelle. C'est Alma qui a écrit à ma place aux députés. Tout est redevenu normal jusqu'à ce qu'Estelle, dans ses errements, m'accuse d'avoir volé sa chambre; en 1989, ma maladie me dérangeait assez que j'avais pas envie de l'étaler devant Estelle. Elle a pas admis mon raisonnement, elle a essayé de m'éliminer de sa vie en m'empoisonnant; je l'ai surprise en flagrant délit; dix minutes après, j'ai trouvé confirmation du maléfice dans une carte postale de Grace Kelly qu'Estelle

166

lisait à voix haute. L'ingratitude d'Estelle et de la princesse m'a brisé le cœur. Le clown s'est manifesté, il a annoncé à Estelle qu'elle était bonne pour l'asile. Elle est partie avec sa valise.

J'étais seul dans l'appartement. Le clown était roi et maître de mes agissements; moi, j'avais déjà pardonné à Estelle. Elle était pas coupable de se nationaliser, même dans ses états d'âme, comme l'Hydro-Québec. De plus en plus fragile de mémoire, a me prenait des jours pour une mouche ou un chimpanzé. Le clown, ce soir-là, a avalé un tas de pilules, espérant le sommeil éternel. C'était son idée: moi, je connais trop bien les desseins de Dieu pour l'offenser autant. Dans le courant de la nuit, Alma m'a secouru, a fait venir une ambulance. Quand on se chicane, moi et Alma, on met pas en doute le principal, une saine gestion des aspirations religieuses et canadiennes.

Deux jours après, j'étais de retour à la maison; Estelle ne m'a pas accordé un regard; c'était l'heure des nouvelles. On voyait défiler à la télévision des images nous renseignant sur la détresse de Montréal: la guerre était commencée. J'ai demandé à Estelle de monter le son, elle m'a répondu que les images suffisaient à nous éclairer sur le massacre qui dévastait la ville.

Depuis 1989, je travaille uniquement à mon élévation personnelle. Ma patience a gagné sa récompense; aujourd'hui, Estelle m'a appelé son bien-aimé et, en plus, elle redouble de vertus et de courage pour qu'on puisse déménager en Italie.

Maurice, fatigué, allait maintenant s'étendre sur le divan-lit. Auparavant, il s'est écrié: «Dans le temps, j'étais beau, à croire que la Trinité tenait à illustrer sa splendeur sur mon visage!»

Puis il s'est endormi. Il s'agitait et marmonnait dans son sommeil.

* * *

La journée du lendemain, le 26 juillet, fut consacrée à l'obtention des passeports. Un employé du ministère de l'Immigration dut convenir avec Estelle que son mari était un musicien de renommée internationale puisqu'il avait exercé son métier dans un établissement accueillant les grands de ce monde. Maurice suivait le conseil d'Estelle et s'exprimait peu, laissant à celle-ci la responsabilité du discours. Elle expliqua que Maurice avait été invité à Florence par un ami violoniste; nous allions assister à quelques concerts.

Vêtue de la robe lamée or que lui avait offerte Maurice, elle traitait l'employé avec déférence et usait de sa secrète intimité avec le dictionnaire afin de prouver le bien-fondé de notre voyage. Elle a noté négligemment que j'étais déléguée par le CLSC pour remédier aux problèmes de leur âge durant ce voyage. Elle fit tant et si bien que l'employé posa peu de questions.

Le chauffeur de taxi nous attendait à l'extérieur. Maurice eut enfin droit à la parole dans l'automobile et se confondit en remerciements adressés à la Providence.

CHAPITRE 9

Du 27 juillet au 7 août, au début de chaque après-midi, Estelle et moi emplissions des sacs noirs de ces flacons de parfum, de ces chapeaux à voilette et de ces parapluies qui attestaient encore la coquetterie dans la commode, la garde-robe et sur les étagères les plus hautes des armoires de la cuisine. Ce qu'Estelle appelait «les heures superflues» visait à rassurer la travailleuse sociale. Ensuite, trente minutes étaient allouées au strict nécessaire; Maurice se joignait alors à nous pour consulter des ouvrages consacrés à la flore et à la végétation italiennes. Toujours intéressés par les malheurs de Krystel, Maurice et Estelle regardaient la seconde moitié de l'émission «Dynastie».

À quatre heures, nous passions à la «grande nécessaire», selon l'expression d'Estelle. En fait, celle-ci s'était complue à une découpe du temps qu'elle comptait séduire de manière à ce qu'il ne compromît pas nos projets. De même, fallait-il aborder la mort avec civilité et élégance. Je m'endimanchais donc avant d'inscrire dans un carnet le lieu de résidence et le numéro de téléphone des récentes victimes. Maurice et Estelle portaient également des vêtements neufs, achetés par le chauffeur de taxi, et qu'ils enlevaient à la suite de leur longue conversation sur les vieux et les jeunes trépassés. Le mardi 7 août, la liste comportait soixante carnets.

Puis je m'affairais dans la cuisinette. Nous mangions à six heures. Maurice ne devait pas crier durant le repas qu'Estelle considérait partie intégrante des préparatifs du voyage. Elle avalait peu de nourriture, soucieuse de mettre à contribution ses fréquentations avec des revues de mots croisés. Elle nous entretenait volontiers d'estivage, de mé- léagrines, de civelles, de vents arachnéens, de surfaces iri- sées. Maurice et moi ressemblions à des figurants contemplant une scène où elle aurait interprété le rôle principal. Je croyais qu'elle devenait enfin cette étoile qu'elle avait espéré être. Elle s'interrompait parfois, se levait et caressait les rares cheveux de Maurice en murmurant: «L'éternité, c'est notre voisine.» Maurice hochait la tête. Elle se rasseyait et conti- nuait à bavarder. Je croyais qu'elle avait, pour tous bagages en prévision du voyage, ce vocabulaire dont l'usage la con- duisait vers Alberto. Je l'observais: souriante, elle étincelait dans la parure d'un bonheur impromptu.

Après le repas, elle nous suggérait invariablement d'al- ler sur le balcon. Pour les promeneurs sur le trottoir, elle in- clinait la tête à plusieurs reprises. Maurice l'imitait.

À sept heures moins quart, Estelle se battait officielle- ment contre Dieu. Devant Maurice et moi, elle jetait un verre d'eau sur le calendrier jauni de 1928. Maurice, son allié de- puis qu'il était surnommé «bien-aimé», lui prêtait assistance, apportait lui-même le verre d'eau; il s'était résolu à ce ma- nège après avoir négocié la récitation de quelques dizaines de chapelet avec Estelle.

Maurice allongé, je lavais le visage d'Estelle. Elle ré- servait cette dernière heure à l'amitié, devisait sur ces alliances qu'elle avait autrefois conclues.

Les allusions à madame Thivierge avaient cessé. Nous pensions, nous disions que nous étions heureux. Les oiseaux de velours appartenaient à une époque révolue.

En quittant l'appartement, j'étais troublée: je m'étais complètement engagée, je partageais leurs joies, je ne témoignais plus de leur quotidien. Et j'appréhendais l'intrusion de quelqu'un, j'appréhendais un événement qui pourrait démolir cette frêle construction d'un horaire conçu par Estelle.

* * *

Le 8 août, madame Corneau se présenta chez les Bilodeau-Tremblay. C'était un mercredi, à l'heure du strict nécessaire. Elle éternuait et se mouchait. Elle interrogea Maurice: «Vous avez hâte?» Stupéfaite, elle entendit Estelle répondre: «Nous nous sommes faits à l'idée. Josée et moi, nous avons rempli tantôt un sac de choses inutiles. J'étais très lasse, il y a trois semaines, vous savez.»

Madame Corneau à qui Estelle avait proposé de s'asseoir, prit un café avec elle. Son tailleur, sobre et d'une étoffe de qualité, parut impressionner Estelle qui allait de politesse en politesse, lui offrant des biscuits, lui demandant ensuite de la suivre sur le balcon. Leurs voix me parvenaient par la porte-fenêtre entrebâillée. Estelle remerciait madame Corneau.

Celle-ci est repartie en éternuant et en se plaignant des grippes d'été.

Plus tard, tandis que nous nous occupions des invités de la grande nécessaire, la sonnerie de l'entrée a retenti. J'ai caché les journaux et les carnets.

Alma s'est précipitée vers Estelle en criant que ce déménagement, c'était la faute du gouvernement, puis, elle a reculé en examinant Estelle.

— Ta robe neuve, c'est pour quoi faire?
— Je traite ma vieillesse avec les égards qui lui sont dus.

— T'as pas changé, t'es du côté de l'extravagance! Pis toé, Maurice, la chenille pas de couleurs, tu veux te convertir aussi en nouveauté?

— Quand tu seras convertie à distinction, tu seras plus réjouissante pour les oreilles célestes, Alma!

— Tu t'en viens sénile, Maurice! Qui c'est qui aurait imaginé que ma pauvre sœur se marierait avec un déchet de ton espèce?

Maurice s'est rapproché d'Alma. Un sourire haineux sur les lèvres, ils se sont défiés.

— T'as été admis dans notre famille rien que parce que l'esprit d'Estelle s'est pas relevé du décès d'Alberto!

Maurice se mit à rire.

— C'est toi qui es encabanée dans la folie! Nous autres, on s'empareille pour les vieux pays!

Maurice, qui jadis avait souhaité s'annexer à l'ombre d'Alma, lui arracha son sac à main. Alma le gifla. Estelle intervint, frôla l'épaule de Maurice, s'enquit des blessures qu'avait reçues son bien-aimé.

— Si toé, Estelle, t'es rendue là, appeler l'avorton ton bien-aimé, moi, j'sus à veille de renverser le gouvernement! T'as atteint le comble d'la misère humaine!

Alma disparut en claquant la porte. Estelle conseilla à Maurice de s'étendre, elle chuchota qu'Alma souffrait du désordre de ses sentiments. Estelle devait soupçonner cette pénombre dans laquelle se débattaient Maurice et sa sœur, cette étreinte convoitée et masquée par les insultes. Elle gronda doucement: «Surveille-toi, garde le secret à propos du voyage.»

Je dus remplacer Maurice qui s'était assoupi à l'occasion du discours adressé à la grande nécessaire. Estelle me disait que j'avais tué quelqu'un aux yeux noirs et aux cheveux bruns, rue St-Laurent. Bouleversée, je répliquai que je n'étais pas la mort en personne. Elle m'ignora, me dit que j'avais poignardé quelqu'un dans un logis de la rue Aird. Je tremblais, je bégayais. En empilant sur la commode les photographies et les articles de journaux, je rêvais de sortir de l'appartement transformé en cauchemar.

Le repas servi, j'évitais de regarder Estelle. Saluer les passants sur le balcon, relire à Maurice un extrait de son autobiographie et m'appliquer à demeurer attentive durant le défilé des alliances d'autrefois, cela m'apparut une imposture. Je me trahissais au gré des fantaisies d'Estelle et de Maurice; j'avais lutté pour souscrire au présent, et cela ne signifiait plus rien.

* * *

Le lundi 13 août, nous avons respecté l'horaire établi par Estelle jusqu'à ce que Maurice, après avoir décliné le nom d'une victime de la soirée précédente, s'écrie: «Je me suis échappé.» Il n'osait pas se lever, craignait de tout salir.

Dans la salle de bains, il s'agrippa au rebord de la cuvette pendant que je l'essuyais et lui nettoyais les fesses. Il me parlait éperdûment, il rougissait et voulait éperdûment dissiper sa honte. Lui, il en avait entendu, des applaudissements, il en avait vu danser, des amoureux, il avait composé des concertos, il avait placé sa confiance en Dieu. Il ajouta: «C'est pas facile de se contenir», en soulevant ses jambes que je frictionnai d'Antiphlogistine, pour la senteur, pour... Il se tut et enfila le pyjama mauve. Revenu dans le salon, il prévint Estelle qu'il était trop fatigué.

À nouveau, je remplaçai Maurice; à nouveau, Estelle m'interpella en m'octroyant une identité qui était reniement: «Madame la mort, un facteur a été étranglé hier en pleine clarté, dans la rue Lacordaire. Il avait les cheveux et les yeux bruns.» Elle poursuivit l'énumération de ceux qui s'étaient acheminés vers moi sans élégance, sans raffinement. Moi, madame la mort, j'avais acquis depuis des milliers d'années cet immense savoir dont étaient dépourvues mes conquêtes.

Debout, me faisant face, elle m'avoua que le moment était enfin venu. Les trépassés allaient enfin délivrer cette liberté réduite à l'état de fillette infirme au fond d'eux-mêmes. Elle décrivait une scène: des centaines de fillettes affluaient dans le salon, aveugles, debout et se refusant à avancer, de peur de se cogner les unes contre les autres. Moi, madame la mort, je devais laver leurs yeux, les délester du brouillard omniprésent. Je devais les aider à joindre leurs mains. J'écoutais Estelle qui divaguait, je ne pouvais la laisser seule dans cette réalité hors pays et désirs connus, je me conformais à ses ordres.

Elle croyait maintenant que j'avais lavé les yeux de ces fillettes, elle croyait que je les avais poussées à se tenir par la main. En fait, j'avais été la captive de gestes insensés. Faire semblant de laver des yeux, faire semblant de lier des mains. L'instant s'était figé dans la pièce. Mais elle croyait qu'autour de nous des fillettes valsaient au son d'une musique ourdie par les méléagrines, les estivages, les forêts mangroves, par ce qu'elle s'était plu à répéter à l'heure du souper, depuis le 27 juillet. Elle a pris mon bras, m'a entraînée dans une valse lente. Collant son visage au mien, elle a murmuré: «Mes concitoyens ne meurent gelés que pour vous remettre leur chaleur. Ils ne meurent par terre que pour vous céder leur grandeur.»

Rien ne déchire davantage le regard qu'une vieille dame tentant à tout prix de donner corps à la liberté, ayant songé y parvenir puis s'arrêtant, se frottant les genoux. Elle alla se recroqueviller sur le divan-lit; elle retira de sa taie d'oreiller des photographies et des lettres qu'elle confondait avec des salles de cinéma.

Je posai des oiseaux de velours sur ses genoux et sur ses poignets. Je lus l'extrait d'une lettre où il était question d'une Altesse Sérénissime décontenancée, de fleurs séchées et d'un photographe qui exigeait une immobilité problématique. Je guidai les doigts d'Estelle sur la bergère de porcelaine. Les yeux hagards, et emmurée dans l'oubli, elle me demanda un verre d'eau, j'apportai une tasse. Il était cinq heures trente. Elle affronta Dieu plus tôt qu'à l'accoutumée, échappa la tasse qui s'émietta en mille morceaux. Elle se mit à hurler.

Les témoins restent là, censés consoler et tourmentés par l'idée d'ouvrir la porte d'un appartement et de s'enfuir dans les rues d'une ville ébranlée par les clameurs d'une vieille dame. Les témoins déroutés disent alors n'importe quoi: «Ça va bien, madame Thivierge, ça va mieux, vous allez vous reposer, vous allez l'avoir, votre immortalité.» Ils examinent le cœur de la vieille dame qui abuse de son visage déformé par un rictus. Ils multiplient les sourires contraints et les vagues promesses d'un avenir radieux, les témoins qui s'entêtent à ne pas crier, à se river à un pluriel qui amortit le choc de l'actuelle souffrance. Malgré eux, ils évoquent ce qui ne se peut pas, cet homme aux yeux bleus, aux cheveux blonds, malgré eux, ils en appellent à des étoiles nées des égarements du ciel.

J'étreignais sa main; je frissonnais avec elle qui ne hurlait plus. Elle se leva, s'accroupit sur le plancher et ramassa les fragments de cette tasse à qui elle parlait d'Alberto. Je pensais qu'on ne peut pas se mouvoir sans risque, ainsi nommée, ainsi fixée au doute qu'entretient un prénom sur votre présence. En caressant ses épaules, ses cheveux blancs, je la soulevai afin de la bercer dans le fauteuil. Elle gémissait. Maurice dormait.

L'horloge marquait sept heures lorsque je déposai Estelle assoupie sur le divan-lit. Maurice se réveilla en toussant. Il avala une gorgée de sirop Lambert. Il n'avait pas faim, accepta par pure bonté de manger des céréales mélangées à des biscuits Breton et du jus d'orange avant de dormir.

Des silhouettes éventrées par le silence, c'était ce que j'apercevais. Je suis longtemps demeurée près d'eux à guetter sur leurs visages des signes de vie. Je ne me suis résolue à partir qu'à minuit.

* * *

Le lendemain, 14 août, à mon arrivée, Estelle m'a touché avec ses mains devenues des palmes dans son langage. Maurice était secoué par des quintes de toux. Je téléphonai au médecin du CLSC.

De l'eau, du sommeil et du sirop viendraient à bout de cette grippe, assura le médecin qui auscultait Maurice. Celui-ci l'interrogea au sujet de cet éventuel rendez-vous avec les gens de la liste. Le médecin ne comprit pas. Dans le couloir, il me suggéra de ne pas quitter Estelle et Maurice, la nuit prochaine.

Le téléphone sonnait sans relâche. Le chauffeur de taxi n'avait pas trouvé la chose italienne commandée par Maurice. Alma s'inquiétait de la santé d'Estelle. La travailleuse sociale réitéra le conseil du médecin. Même Georgette désira des nouvelles de son frère. Je n'eus pas une seconde à consacrer au superflu.

Maurice, fiévreux, respirait difficilement. Estelle s'agitait:

176

des monstres sur le fauteuil se moquaient d'elle et du courrier qu'elle recevait de Hollywood; il y avait ensuite une mouche qui lui proposait le mariage; il y avait aussi Grace Kelly qui l'invitait à boire du vin, qui s'en allait, remplacée par Cary Grant qui apposait sa signature au bas d'une photo.

Je devais réconforter Estelle, je devais rafraîchir le front de Maurice et réciter, agenouillée, une dizaine de chapelet tout en surveillant Estelle menacée par le siècle infirme qui lui ôtait ses vêtements.

J'allais de l'un à l'autre. Maurice s'imagina à New York devant un chef d'orchestre débordant de compliments. Estelle, de son côté, me montra ses cheveux tombés par poignées dans les assiettes des clients, au *Seignory Club*. Elle répétait qu'elle n'avait jamais autant grelotté dans sa beauté humiliée. C'était terrible. Là où ils étaient, j'étais incapable de les secourir. Je voyais Maurice se défendre contre les assauts d'un clown qui lui enlevait son piano, sa chambre et son autobiographie. Aussitôt après, il m'a soufflé à l'oreille d'aller rencontrer mon amoureux aux antécédents divins. Ils étaient perdus dans leurs délires respectifs tandis que je me penchais vainement sur eux, que j'assistais à cette débâcle de leur existence sur leurs lèvres. Puis Estelle me sourit, s'informa si moi, madame la mort, j'avais reconnu les fillettes aveugles. Un instant, Maurice me demanda: «Avez-vous dans vos poches la cuillère que vous avez volée hier?»

Il fallait que je rejoigne madame Corneau. J'ai essayé de dégager mes mains retenues par Maurice et Estelle. Pour elle, j'étais alors Alma, pour Maurice, j'étais le chef de l'Orchestre philarmonique de Berlin. J'éprouvais surtout le froid de ces deux mains cramponnées aux miennes, le froid de la fièvre, le froid de la mémoire s'expliquant à la hâte avec un passé démantelé en images tronquées.

À Estelle, j'ai promis d'aller chercher Alberto. À Maurice, j'ai promis d'aller chercher Adrien. Ils m'attendirent, les yeux fermés. Une réceptionniste du CLSC m'annonça que madame Corneau s'était absentée, que le médecin travaillait à l'hôpital. J'ai insisté sur l'urgence de la situation.

Quand je suis retournée vers eux, Maurice s'était endormi. Estelle me tendit le casse-noisettes; je fis semblant de lui couper les ongles. Je fis aussi semblant de nettoyer son visage avec une brosse à cheveux. J'appliquai vraiment du fard sur ses joues, du rouge sur ses lèvres. Elle se figea dans sa pose habituelle, celle dont elle use pour séduire le temps.

Mes appels impatientaient la réceptionniste du CLSC. Estelle redevint subitement elle-même, me rappela que c'était l'heure du superflu. Maurice s'éveilla en toussant. Estelle, déjà, jetait des ustensiles dans un sac de plastique noir. Elle enfila une robe, voulut négocier avec la grande nécessaire, s'enquit: «Avez-vous téléphoné à madame Thivierge?» et, sans raison, sans transition, prit la bergère de porcelaine qu'elle berça dans le fauteuil.

Je la regardais. Elle me montra son visage, son buste et sa taille en affirmant que tout ça n'était plus honorable, qu'elle en était réduite à nommer tout ça «le haut de la nécessaire». Elle avait failli pourtant se convertir en encyclopédie de surnoms tant, autrefois, elle avait eu connaissance d'elle-même. Un jour, il n'y aurait plus de jour. Un jour, les étoiles se passeraient d'elle. Cette lueur de demi-conscience dans ses yeux s'est éteinte.

Elle crut qu'elle filait comme un oiseau sur la patinoire de Bonaventure, se mit à trembler. Elle ne distinguait pas Maurice dont j'épongeais le front. La sonnerie de l'entrée les fit sursauter. Estelle se coucha et rabattit les draps sur son front. C'était enfin le médecin.

Il ausculta Maurice qui s'était remis à divaguer, décida de le faire hospitaliser. Peu après, Maurice disparut sur une civière transportée par des ambulanciers.

L'après-midi s'achevait. Je mangeai une orange. Est-ce qu'Estelle dormait? Rien n'était certain. Le mois d'août nous échappait.

Dans le courant de la soirée, Estelle ouvrit les yeux; son visage était dénué d'expression. Il n'y avait plus que du silence de vieille femme, du silence de témoin dans cet appartement.

* * *

Durant la nuit, vers quatre heures, je saisis le récepteur du téléphone. Une infirmière m'apprit la mort de Maurice. Ne pas se mettre à crier, surtout, étouffer la nuit qui gronde en soi, surtout, Melquiades, ne pas consentir physiquement à la brûlure de l'instant. Melquiades, mon père, il fait Sept-Iles dans l'univers, toujours, toujours.

* * *

Le 15 août, Estelle et moi n'avons guère bougé. Les trois journées suivantes, je lui servis d'escorte. Elle continuait de s'acheminer vers beaucoup d'indifférence, au-dedans et au-dehors d'elle-même. Chaque après-midi, nous nous rendions au salon funéraire où était exposée la dépouille de Maurice. Il n'y avait plus de place en Estelle pour une parole, un souvenir reliés à la victime du 15 août. Les condoléances de Georgette et d'Alma ne l'atteignaient pas. Alma l'accusait d'ingratitude, elle qui s'était chargée des achats inévitables causés par le décès de Maurice n'avait pas droit à un simple merci. Estelle errait dans cette pièce et, une fois, me parla de l'homme du cercueil. Elle effleurait le crâne chauve de celui-ci avant de regagner son domicile, au bout de vingt minutes qui me paraissaient une éternité.

Les heures avaient goût d'amertume dans le salon; Estelle, prostrée sur le divan-lit, se taisait. Je remuais parfois les deux assiettes, les deux bols et les deux tasses, ce qui subsistait d'auparavant dans les armoires, afin de créer la chimère d'un aujourd'hui.

* * *

Le 19 et le 20 août, Estelle se leva pour boire du café et manger des biscuits Breton. Je l'interrogeai sans succès. Elle fixait le calendrier jauni de 1928. J'évoquai ses alliés, cela ne la tira pas de son mutisme.

Le mardi matin, j'encerclais la date du 21 août sur ce calendrier, par souhait d'un repère dans le présent problématique, quand Estelle me demanda: «Ça, ce sont des palmes?» en agitant les mains. Un sourire hésitant sur les lèvres, elle a encore demandé: «Vous êtes la femme du CLSC?»

Elle me fit signe d'approcher. Elle avait conservé des derniers jours quelques images floues, celle d'Alma en larmes, celle de Maurice étonnamment aphone dans une boîte brune. Séparée de lui par un épais brouillard, elle avait touché le crâne de Maurice qui n'avait pas réagi.

J'ai dit très vite ce qu'il y avait à dire. Elle a pleuré; dans un chuchotement presque inaudible, elle a gémi: «Il m'a abandonnée. Ce n'était pas un homme mauvais, vous savez.»

Sans lui, elle n'irait pas en Italie. Seul Maurice avait pu confirmer, vingt ans d'affilée, qu'elle n'avait cessé d'être belle, élégante et soucieuse des convenances, à la suite de leur long séjour à Montebello. Pour lui, elle s'était plu à demeurer celle qu'elle avait été jadis.

Son cœur battait trop rapidement. Elle a mis sa main droite sur sa poitrine, espérant le calmer. Puis elle déjeuna en conversant.

Depuis qu'une infirmière, un chapeau posé de travers sur la tête, s'était présentée à elle et à Maurice, le monde déjà ébranlé par la guerre s'était fait nettement plus impoli. Cette infirmière avait glissé un thermomètre dans sa bouche et dans celle de Maurice; elle avait déjoué leurs intimes volontés par le recours à quatre lettres: C L S C. Maintenant, les impératifs soulevés par son proche départ réclamaient son attention. Elle ne divaguait pas, elle était en pleine possession d'elle-même, elle ajouta qu'elle tenait à faire les choses comme il se devait.

Elle téléphona au chaufeur de taxi et au pharmacien, les remercia d'avoir facilité l'exécution des desseins de Maurice. Elle rejoignit également Alma qu'elle convainquit de sa gratitude. À mon tour, je dus téléphoner à madame Corneau dont Estelle craignait l'arrivée impromptue.

Estelle n'allait quitter sa chambre, son salon, qu'après s'être conformée aux règles de la bienséance. Elle feuilleta les carnets. Les marchands d'éternité avaient menti assidûment, en particulier Dieu, à qui elle montrerait ce soir ce dont une bonne couturière est capable. La mort n'avait pas donné la réponse appropriée en s'en prenant à Maurice. La mort aurait aussi affaire à ses talents de couturière.

J'ai obéi à Estelle, j'ai fait trois piles de carnets, les emballant dans du papier de soie et confectionnant un paquet destiné à madame Thivierge. Elle s'est résolue à jeter dans un sac noir ces revues où elle avait autrefois trouvé tant de prodiges de polysémie. Elle souriait en me demandant:

– Josée, connaissez-vous le sens du mot «civelle»? Et celui du mot «méléagrine»?

J'assurais que non, je la laissais à son plaisir d'en réciter la définition. Elle m'accompagna ensuite au bureau de poste où elle colla elle-même les timbres sur le paquet de madame Thivierge et sur cet autre paquet contenant des articles de journaux et des photographies, adressé celui-là au premier ministre du Canada.

* * *

À sept heures trente exactement, Estelle décrocha le calendrier de 1928 et le déchira.

Durant le défilé des minutes en cette journée et cette soirée du 21 août, je fus son alliée. Je la regardais, je l'écoutais, je l'aimais tandis qu'allongée, elle me confiait qu'elle était le temps, qu'elle était tout ce qu'elle avait vu et entendu dans le temps. Sa chair habituée à la vie n'oublierait jamais Alberto, Grace Kelly, Maurice et les comédiens. Sa chair s'était ouverte afin que puisse y entrer la foule des invités. Ses yeux brillaient. Elle hocha la tête en me disant qu'elle s'examinait dans la soudaine clarté de l'âge.

Chaque jour, chaque soir l'avait accueillie pareillement à une grande dame, hormis certaines heures sans permis car, comme elle, le temps avait eu parfois des absences. Elle coiffa ses cheveux. Demain, elle allait rencontrer la dernière des invités. Elle était née en apportant des précisions sur la couleur du temps, née avec des yeux bleus, des cheveux blonds qui s'étaient mués en voile blanc, et elle comptait transmettre de nouvelles précisions au lendemain.

À sa requête, j'ai rangé dans une valise la bergère, les photos des acteurs, les lettres de Grace Kelly et le pyjama bleu de Maurice. Le berger, la bouteille de scotch vide et les objets italiens resteraient ici, au cas où Maurice se hasarderait à revenir. La mort était une illusion. Estelle était le temps, elle savait que la part d'absolu détenue par chacun se fraie sur terre un chemin et finit par retrouver l'élu de cette supplication.

Elle se tut. Elle se poudra les joues, se farda. Elle rougit ses lèvres. Peu après, elle s'endormit. Je l'aimais ainsi qu'on peut aimer une princesse s'étant offert un pays de porcelaine et des révérences à l'éternité pendant que l'univers était plongé dans une nuit ignorante de lui-même.

* * *

Dès l'âge de neuf ans, Estelle avait résisté, avait refusé de devenir une infirme du siècle qu'elle avait modifié, le défaisant et le refaisant au moyen de listes. Elle avait d'abord nommé les nuages, les herbes des prés, les motifs du givre sur les fenêtres. Elle s'était entêtée à signifier qu'elle ne s'enfermerait pas en huis clos avec l'indifférence. Ses listes constituaient de fragiles témoignages sur le monde.

Dans son sommeil, elle cherchait le secours d'une main. Du moins, c'était ce que je croyais. J'ai serré sa main.

CHAPITRE 10

Le 22 août, à l'aube, Estelle s'exerçait à paraître jeune dans la robe de Cary Grant et dans ses souliers blancs trop étroits. Un chapeau à voilette ombrait ses joues fardées. Elle était prête.

L'ami de Maurice, le chauffeur de taxi, nous conduisit au terminus Voyageur, Ontario et St-Denis. Dans l'autobus, Estelle s'endormit rapidement, la tête accotée sur mon épaule. J'étais plongée dans un recueil de Saint-John Perse. Elle m'avait prévenue de l'éveiller dès que se profilerait la ville de Bonaventure.

J'effleurai son bras. Les yeux plissés par la curiosité, elle scruta les arbres, les édifices et les passants.

À six heures, elle se promena dans les rues de son enfance. Je portais la valise. Elle s'appuyait sur moi, m'étreignait le bras. Elle me montra un terrain sablonneux où, autrefois, on l'avait applaudie, cette patinoire dont il ne restait rien. Elle pointa du doigt une maison rénovée; c'était là qu'elle avait grandi. Dans la rue principale, en face de la quincaillerie, se dressait auparavant l'*Hôtel King*. Et ici, exactement ici, sur ce trottoir, Alberto l'avait embrassée. Elle contemplait, émerveillée, cet ici d'il y a longtemps. Tout avait changé mais rien n'avait changé.

Le soleil allait se coucher. Nous avons flâné le long de la baie des Chaleurs. Des goélands, des sternes et des albatros s'étiraient en frissons rouges dans le ciel. Estelle chuchotait d'anciennes phrases d'Alberto.

Des pêcheurs amarraient leur barque. Personne ne la reconnaissait. Elle venait d'une époque lointaine. Et personne ne devina qu'elle rendait un hommage singulier à la liberté lorsque sur la batture, émue et fière, elle lut à voix haute le nom des oiseaux d'ici et d'ailleurs. La voilette de son chapeau frémissait sous le vent. Elle se tenait très droite; elle accompagnait ses paroles d'un mouvement ample, du bras gauche, tendu vers la baie.

Quand elle eut terminé, elle s'approcha de moi. Ce projet qu'elle allait bientôt réaliser ferait d'elle une reine. Cela l'obligeait à ralentir le pas, à saluer des étrangers.

J'ai loué un canot; j'ai pris la main d'Estelle afin de l'aider à s'y asseoir. J'ai ramé durant cinq minutes. Estelle caressait la valise déposée à ses pieds. Elle se pencha, l'ouvrit; elle jeta dans la baie la bergère de porcelaine, le gilet rouge, les lettres de Grace Kelly, le pyjama bleu, les photographies des comédiens et la liste des oiseaux. Puis elle observa sa vie qui dansait sur les vagues. En me serrant la main, en murmurant «Adieu», elle étincelait, la parure du bonheur sur ses joues .

Je l'ai examinée une dernière fois. D'elle, je conserverais cette image, une vieille dame retenant son chapeau et brandissant des retailles de velours qu'elle lança dans l'eau. À cette minute, elle se proclamait Arachné. Un sourire sur ses lèvres taisait l'essentiel; elle allait ajouter une modification à l'histoire de cette Arachné. Elle ressemblait au défi si celui-ci peut devenir quelqu'un. Et elle n'inclina la tête que pour sembler bergère à l'heure où le soleil fait lui-même semblant de mourir, à l'heure où la chair s'épanouit, fleur de ce continent, le cœur exigeant qui parle du temps, ne s'en distançant que pour mieux le distinguer.

* * *

J'ai nagé jusqu'au rivage. Debout sur le sable, j'ai regardé le canot qui dérivait. Estelle n'était plus qu'un infime point noir à l'intérieur d'un autre point noir qui tremblait sur le faîte des vagues.

Lorsque ce point noir a chaviré, j'ai su qu'Estelle avait retrouvé le chemin qui menait à sa maison.

Un homme a crié. Un attroupement d'inconnus s'est formé sur la plage. Je me suis mise à courir. J'ai repris les vêtements de rechange que j'avais pliés sous une pierre. Je suis repartie vers Montréal.

Le lendemain, dans les journaux, on a signalé le suicide d'une femme. Elle avait les yeux bleus, elle avait des cheveux blancs. J'étais seule à penser qu'elle avait été reine d'un royaume dissimulé dans les replis de l'espace, ce rebelle dont Estelle aurait dit qu'il déplie ses ailes où bruissent secrètement des instants alourdis par le poids de la naissance.

Melquiades, le lecteur

Melquiades, le 8 juillet 1965, tu serres la main d'une infirmière. Sur les murs de la chambre d'hôpital, se déplacent des ombres. Ton estomac brûle, tu te cramponnes aux barreaux du lit.

Du sang coule sur ton menton. C'est le sang de la journée d'hier, le sang de ta mère qui se déroule comme une trop longue chanson rouge modulée à ton oreille. Tu souhaites te réfugier dans un roman. Si tu pouvais échapper à cette douleur pareille à un incendie, si tu pouvais dans ton corps sentir un bercement de rivière, si tu pouvais rassurer l'enfant perdu dans tes entrailles déchirées! L'infirmière t'adresse un sourire, une seconde peut durer cent ans dans une maison abusée par le temps. Une seconde, tu aperçois le visage de ta mère, Josépha.

* * *

Le soir, ta mère prenait un livre. Vous faisant face sur le lit, vous récitiez chacun à votre tour des passages de *Madame Bovary*. Josépha cherchait du soleil dans les livres. Elle avait trente ans et toi, tu en avais onze, en 1931, cette année interrompue par la chanson rouge.

L'infirmière a disparu. Il ne reste que Josépha et ces personnages qui sortent des livres afin de peupler une chambre où un fanal demeure allumé, dans le village endormi de l'Anse-

St-Jean. Josépha sourit en lisant. Les citoyens du rêve calment les grands gels intérieurs, c'est ce qu'elle dit. Vous escortez Emma Bovary, Cyrano de Bergerac, le père Goriot et Quasimodo.

Puis la chambre tombe dans l'abîme. Ton père te pousse près du lit. Il chuchote: «Ta mère s'est suicidée.»

Chaque instant de chaque jour, c'était Josépha, c'était ce défilé de mots qui obscurcissait les traits de ton père descendu dans les chantiers ou en revenant saoul. Ta mère croyait qu'au bout des mots adviendrait le vertige d'aimer. Elle répétait: «Nous sommes avant tout des lecteurs.»

Tu la regardes. Tu supposes qu'elle a rattrapé les citoyens du rêve et qu'elle court dans cet ailleurs possible où s'enfuient des gazelles dans la douceur d'une heure lumineuse.

– Elle était pas normale, affirme ton père.

Elle voulait voir le soleil, ce n'est pas normal d'être tenté par la vie, ici, dans le village. Ce malheur de tant revendiquer le bonheur avait commencé le deuxième dimanche de juin. Josépha s'était habillée en Emma Bovary pour se rendre à l'église. Au village, on ne s'attendait pas à ça, une femme prenant l'air dans les livres et déclamant du Flaubert sur le perron de l'église, une fois la messe achevée. Le troisième dimanche de juin, elle l'avait abordé avec les manières et les vêtements d'Esméralda, avec Victor Hugo; sur le perron de l'église, elle s'était mise à parler du vertige d'aimer, à parler bien trop fort des caps sombres et frileux et de cet animal frémissant en eux sous le granit, une gazelle dans les flancs du fjord.

Elle était affamée d'inconnu, Josépha, elle voulait être rivière, falaise et firmament, et aussi cette gazelle exprimant la douceur des heures promises par l'inconnu. C'était cela, la beauté de Josépha, droite et fière sur le perron de l'église, totalement livrée à l'immensité et à la chaleur des mots.

Le premier dimanche de juillet, elle s'était convertie en Roxanne. Tu te rappelles qu'elle était magnifique, songeant à voix haute à ce voyage dans des contrées irradiées de lumière. Elle avait oublié que tu te tenais près d'elle. Et si ce curé ne lui avait pas pincé le bras quand elle avait parlé trop fort du vertige d'aimer, si elle avait su que tu l'applaudissais, elle n'aurait peut-être pas crié: «À quoi bon?» Elle ne se serait peut-être pas enfermée ensuite dans sa chambre. Le soir venu, elle t'aurait peut-être invité à lire avec elle.

Mais elle s'est enfermée dans sa chambre. Tu l'appelles maintenant, dans une autre chambre, avec des hurlements de bête.

* * *

Une infirmière insiste: «D'où venez-vous?» Tu pointes de l'index un roman posé sur la table de chevet. Un médecin réitère qu'il faut identifier cet homme-là et rejoindre sa parenté.

«Quel homme au juste?» penses-tu. À la mort de Josépha, dans ton corps, vous étiez subitement deux. Un froid inqualifiable avait pétrifié la part d'ombres accumulées en toi, un froid inqualifiable t'avait jumelé à un homme de glace dont les gestes épousaient les tiens. N'ayant connu que la mort de Josépha, n'ayant rien appris du jour, il a toujours redit en toi: «La nuit est trop longue.» Lui seul t'a suivi à Sept-Îles. Lui seul t'accompagnait dans ce qui semblait foule à Chibougameau, à Shipshaw, aux Passes Dangereuses, partout où cette distance entre le souffle et les lèvres, interminable lorsqu'on est deux à chercher ses mots, t'obligeait à rire plus fort que les autres, à te raconter à voix très haute, dans l'uniforme d'un cuisinier de chantier, un tablier et un chapeau blancs.

Dans cette chambre où tu respires péniblement, l'infirmière essuie un peu de sang qui a dégouliné sur ton menton. Vous étiez deux à tâcher de devenir quelqu'un. Tu penses que les autres se trouvaient si loin que, parfois, vous prenait l'envie de vous approcher et de vous donner à eux. C'est ce qui est arrivé à Manic 135, vous vous êtes offerts à eux en spectacle.

Tu te souviens des tables de forme allongée soutenues par des rondins entrecroisés. Le souper des bûcherons est terminé. Le show-boy débarrasse les tables. Avec de la farine délayée dans de l'eau, tu te fabriques un nez de théâtre. Happant un balai qui fera fonction d'épée, tu grimpes sur l'une des tables.

Tu es grand à cet instant, tu es Cyrano de Bergerac. La vérité des citoyens du rêve, tu la déploies cérémonieusement avec des mouvements amples qui rythment les vers de Rostand. Des phrases issues de toi se mêlent à celles de Cyrano; tu évoques des rivières impatientes, tu évoques celle qui défie le temps, ta mère cachée dans tes soupirs.

On t'applaudit. Se donner est un acte exigeant, se donner durant une trop longue nuit te mène vers une Roxanne éperdue. Tu interpelles le show-boy qui va interpréter le rôle de Cyrano agonisant. Il faut danser, Roxanne va déchirer cette obscurité dans laquelle sont plongés des milliers de danseurs, il faut clamer le vertige d'aimer jusqu'à baver son âme sur l'horizon brumeux. Le show-boy se prête à ta mise en scène; il râle; il t'interroge: «Qu'est-ce que je fais après?» Tu es Roxanne, tu virevoltes sur la table, tu chantes, et puis tu fais tournoyer Cyrano, et puis tu veux voler dans les airs avec une éternité qui se nommerait «dimanche».

Tu t'imagines reconnaître celle avec qui tu t'élances vers un ciel du mois de juillet. C'est Josépha. Son sourire a l'éclat du soleil. Le fracas d'une chute te contraint à quitter juillet, à entrevoir le show-boy qui se tord de douleur sur le plancher.

– Maudit fou, tu m'as cassé un bras!

Tu as vu du mépris dans les yeux des bûcherons. Tu as examiné la civière improvisée sur laquelle on transportait l'aide-cuisinier. Seul dans la cuisine, tu t'es étendu sur le plancher. Convaincre les citoyens de la réalité de ce lien de parenté entre eux et toi-même, ça te laissait le cœur d'un Quasimodo, battant pour une question: «Est-ce que quelqu'un va finir par me répondre?» Tu t'es mis à boire. Esméralda se terrait dans le cœur des autres.

On te demande encore: «Qui êtes-vous?» Et toi, tu pointes encore de l'index ce roman de Gabriel Garcia Marquez sur la table de chevet, l'unique chose que tu possédais quand on t'a retrouvé sur le bord d'un fossé.

* * *

Pressé de dire «nous» à tous ceux qui te sont demeurés étrangers, Melquiades, tu supplies l'infirmière de leur écrire une lettre que tu vas lui dicter.

L'infirmière observe tes lèvres qui remuent, transcrit ton silence et tes étouffements. Tu essaies de distinguer cette infirmière dont la silhouette, en un jeu d'ombres sur le mur, se fracture en sept îles minuscules. Sur chacune d'elles, s'agitent ta mère, ta femme et la cuisine de chantier de Picoba où retentit la sonnerie d'un téléphone. Tu te crois revenu à Picoba. Le plancher vacille lorsque Maude, ma mère, t'apprend le décès de ton fils. Tu bois longtemps.

Il y a toujours des lendemains, même pour les cuisiniers qui désirent se confondre pour toujours avec un plancher. Un taxi t'a conduit au village de l'Anse-St-Jean. Tu renies cette maison aux lucarnes roses, ce salon d'où s'échappent une odeur de couronnes mortuaires et un bruit assourdi de voix récitant le chapelet. Tu renies cette robe noire que porte Maude. Toi, tu es descendu de Picoba afin de caresser le vieux chat gris qui vient d'entrer avec toi dans la chambre. Maude murmure que le petit a été emporté par la coqueluche.

– Viens, il est dans le salon.

Tu la repousses. Tu t'endors. Au réveil, tu es persuadé qu'il ne reste plus au monde qu'un chat gris et Maude qui veille dans le salon. Tu la consoles à propos de l'accident, tu optes pour ce mot à cause du cercueil. Elle a trop de peine et devrait aller se reposer, ce n'est qu'un malheur de roman. Elle secoue la tête. Hébétée, elle va se coucher. Dans le cercueil, un dégât de satin blanc fait paraître un enfant plus pâle qu'un matin d'hiver. De nouveau, Cyrano a été berné par l'éternité. Ce Cyrano ressemble à quelqu'un qui t'est familier. Pourquoi les adjectifs possessifs s'introduisent-ils dans la chair jusqu'à la broyer, jusqu'à dire «mon fils de cinq ans, mon Joseph, mon petit gars»? Pourquoi n'y a-t-il plus dans ta poitrine que des fleurs noires pareilles à la robe de Maude? Pourquoi la vie trahit-elle les lecteurs?

Tu colles ta bouche à l'oreille de Joseph; tu lui avoues l'histoire d'un homme qui mange le cri qui lui sert de cœur. Cet homme s'épuise à préserver sa mère dans ses déguisements du dimanche, à l'escorter sur des caps où une gazelle s'enfuit dans la douceur de l'heure.

Tu ouvres les rideaux de la fenêtre. La neige qui tombe a le visage de Quasimodo. Toi, tu n'as jamais eu de visage. Tu n'as jamais eu qu'un corps d'apparat, privé de toi, privé de ces adjectifs possessifs paralysés sur un lit. Il faut que Joseph comprenne. Avec Josépha, tu suivais des personnages, tu contemplais de secrets soleils à l'œuvre dans le bleu de l'âme. Tu hurles sans t'en apercevoir que tu es fait de tant d'histoires anciennes que tu ne t'es jamais appartenu. Tu hurles qu'il a fallu boire de l'eau, de la terre glaciales pour faire semblant d'exister. Joseph ne te répondra pas. Dans la cuisine, tu t'en vas écrire une lettre. Demain, tu la posteras à un inconnu dont tu choisiras le nom dans un annuaire téléphonique.

Le lendemain, tu fus surtout vertige d'aimer. Il y avait un vieillard qui voulait faire de la musique sous ta peau, et dans tes larmes, une vieille dame qui voulait devenir une vedette, alors que tu t'avançais dans l'allée centrale d'une église en soulevant un cercueil blanc. De la morve coulait de ton nez. Cyrano de Bergerac et Quasimodo te soutenaient dans cette église où des cloches sonnaient le glas.

L'infirmière continue de rédiger cette lettre adressée à un inconnu. Une seconde, elle s'arrête et serre ta main.

* * *

Ce 8 juillet, dans la chambre d'hôpital de Sept-Îles, l'univers s'étire autour de toi en écorchure vive. Quelque chose en toi qui ne sait plus rien de toi essaie de se lever et de retourner vers autrefois.

Tu te redresses. L'infirmière n'est plus là. Tu regardes tes mains, tes doigts soustraits au refuge des mots. Tes yeux hagards s'enlisent dans le vide de la chambre. Puis une phrase s'y glisse ainsi qu'une musique longtemps écoutée et absorbant l'espace inerte: «L'oiseau, de tous nos consanguins le plus ardent à vivre, mène aux confins du jour un singulier destin.»

Cette phrase de Saint-John Perse se redit pendant que tu tends la main vers le village, vers les autres, tous conteurs d'anciennes histoires qui frissonnent dans l'abîme de la chair.

Ta main gît suspendue au-dessus de la table de chevet, écartée de toi. Plus rien ne te connaît. L'indifférence du monde t'avale lentement. De l'espoir d'encore espérer, subsiste un peu de sang qui coule sur ton menton. De la souffrance d'encore souffrir, s'échappent des râles qui croient dénoncer cette déchirure qui fend en deux les entrailles d'encore vivre, d'encore dériver dans l'instant, d'encore déchiffrer la nuit des lecteurs, tous prisonniers du conte où l'on parle d'aimer.

* * *

Mon père, mon cher Melquiades, les yeux fermés, la bouche ouverte, tu tentes d'inspirer.

La vie, cette très vieille femme anonyme, dont l'existence dépend de souffles errants et eux-mêmes anonymes, demande à ta peau ignorante de l'accompagner car elle n'a pas tout dit. Cette vieille femme a parfois des absences. Elle perd mémoire cette nuit de ton corps qui vacille dans l'immensité silencieuse de l'univers.

Melquiades, à la dernière seconde, le cœur des hommes se fait auteur de la lourde et légère merveille de vivre. Il bat dans toutes les forêts, dans tous les champs de blé, sur tous les océans afin que l'espoir appris par lui ne meure jamais. Le cœur n'a pas de fin. Il s'épanouit comme une fleur d'air dans l'espace sans limites où la vie cherche ses mots sur des lèvres anonymes.

Un spasme te secoue. Tu n'as plus le temps des précisions ni celui des prisons. Tu t'accomplis dans les bras du doute demeuré entier, dans l'extrême fidélité de ta dernière seconde à ta première, redevenu oiseau.

Tu n'es pas seul à trouver ce chemin entre des bras dépliés. Des hommes et des femmes surgissent de partout. Ce sont des gens de ta parenté, d'anciens témoins de la chair, se mouvant dans l'immensité silencieuse.

Une infirmière chuchote à un médecin que tu es mort. C'est faux. Tu bois la grandeur muette des eaux.

**Ouvrages déjà parus
dans la collection «romans et nouvelles»
de la Pleine Lune**

Ainsi Vu, Robert G. Girardin

La Chatte blanche, Charlotte Boisjoli

Le Carnet fantôme, Louise Deschênes

Complainte en sol majeur, Denise De Montigny

La Constellation du Cygne, Yolande Villemaire
Grand Prix du roman du Journal de Montréal 1985

Coquillage, Esther Rochon
Grand Prix de la science-fiction et du fantastique québécois 1987

Le Deuxième Monopoly des précieux, Pauline Harvey
Prix des Jeunes Écrivains du Journal de Montréal 1983

Dieu en personne, Jérôme Élie

Le Dragon vert, Charlotte Boisjoli

L'Écran brisé, Louise Fréchette

Eldorado, Pascal Millet

Encore une partie pour Berri, Pauline Harvey
Prix Molson de l'Académie canadienne-française 1985

L'Espace du diamant, Esther Rochon

Grand Prix de la science-fiction et du fantastique québécois 1991

L'Enfant de la batture, Nicole Houde
Prix Air Canada 1989

Les Feux de l'exil, Dominique Blondeau

Les Filets, Désirée Szucsany

Le Fils d'Ariane, Micheline La France

Fragments d'un mensonge, Dominique Blondeau

Georgie, Jeanne-d'Arc Jutras

Jamais le vendredi, Marie-Danielle Croteau-Fleury

L'Impliable, Alfred Luke Granger

Les Inconnus du jardin, Nicole Houde

L'Irrecevable, Virginie Sumpf

Lettres à cher Alain, Nicole Houde

La Louve-Garou, Claire Dé et Anne Dandurand

La Maison du remous, Nicole Houde
Prix littéraire de la Bibliothèque de prêt du Saguenay-Lac St-Jean 1987

La Malentendue, Nicole Houde
Prix des Jeunes Écrivains du Journal de Montréal, 1984

Mariage à Buffalo Jump, Susan Haley

La Muse et le Boiteux, Normande Élie

Non, je n'ai pas dansé nue, Sylvie Sicotte

Nouvelles d'Abitibi, Jeanne-Mance Delisle
Grand Prix de la prose du Journal de Montréal 1991

Le Pendu de Mont-Rolland, Monique Beaulne

Le Piège à souvenirs, Esther Rochon

Le Porphyre de la rue Dézéry, Colette Tougas

Se marier à Buffalo Jump, Susan Haley

Le Secret, Monique Pariseau

Ses cheveux comme le soir et sa robe écarlate, Jeanne-Mance Delisle

Soleil rauque, Geneviève Letarte

Station Transit, Geneviève Letarte

Un ancien récit, Virginie Sumpf

Un trou dans le soleil, Marie-Danielle Croteau-Fleury

La Ville aux gueux, Pauline Harvey
Prix des Jeunes Écrivains du Journal de Montréal 1983

Achevé d'imprimer
en septembre 1994 sur les presses
des Ateliers Graphiques Marc Veilleux Inc.
Cap-Saint-Ignace, (Québec).